D0533172

SCIENCE FICTION

Herausgegeben
von Wolfgang Jeschke

DMITRIJ BILENKIN

DAS UNSICHERHEITS-PRINZIP

Science Fiction-Erzählungen

Deutsche Erstveröffentlichung

WILHELM HEYNE VERLAG

MÜNCHEN

HEYNE-BUCH Nr. 06/4067
im Wilhelm Heyne Verlag, München

Titel der amerikanischen Originalausgabe
THE UNCERTAINTY PRINCIPLE
zusammengestellt und herausgegeben von Theodore Sturgeon
Deutsche Übersetzung von Gustaf Beindorf
Das Umschlagbild schuf Ian Craig

Redaktion: Wolfgang Jeschke
Copyright © 1978 by Macmillan Publishing Co., Inc., New York
Copyright © 1984 der deutschen Übersetzung by
Wilhelm Heyne Verlag GmbH & Co. KG, München
Printed in Germany 1984
Umschlaggestaltung: Atelier Ingrid Schütz, München
Satz: Pustet, Regensburg
Druck und Bindung: Elsnerdruck GmbH, Berlin

ISBN 3–453–31012–8

INHALT

EINFÜHRUNG

Im Jahre 1939 machte sich der inzwischen verstorbene, große SF-Herausgeber John W. Campbell daran, innerhalb von nur achtzehn Monaten einen Stall von Autoren um sich zu scharen, die seither in dieser Sparte zu Denkmälern geworden sind: Asimov, Heinlein, de Camp, del Rey, Simak, Clarke, Hubbard (der später abwanderte, um die Dianetik und die Scientology-Kirche zu begründen, zuvor aber zu den Großen des Genres gehört hatte) und viele andere.

Sollte ich je meine Zeitmaschine vollenden, so begebe ich mich damit in die Sowjetunion, lese Dmitrij Bilenkin auf, katapultiere ihn zurück in das Jahr 1939, gehe mit ihm zu dem knarrenden alten Haus in der Seventh Avenue 79 und führe ihn durch den Irrgarten von aufgetürmten Magazinstapeln und riesigen Rollen unbedruckten Papiers (deren Geruch mir noch heute gegenwärtig ist) in das winzige Büro, in das der Riese, der dort sitzt, kaum hineinpaßt. »John«, sage ich dann, »John, hier ist wieder einer für dich.«

Bilenkin legt dieses Abenteuer aus einer Vielzahl von Gründen nahe. Ihn fasziniert, wie man schnell feststellt, der Gedanke des Reisens durch die Zeit – die dabei auftretenden Paradoxien, die moralischen Fragen, die sich erheben, wenn die Vergangenheit auch nur um ein Augenzwinkern verändert wird – sowie die Möglichkeit, daß solche Wunden in der Zeit vielleicht von ganz allein verheilen könnten.

Daneben ist er auch ein Mann der Phantasie – nicht einer Runen raunenden Phantasie der Drachen und Kobolde, sondern Schöpfer dessen, was Campbell »verrückte« Phantasie nannte. Bestürzende Einfälle mit einem ungezügelten Sinn für Humor zu verbinden ist an sich schon eine große Kunst, doch Bilenkin beherrscht sie, wie man aus der Geschichte von dem Professor auf dem Fahrrad ersieht, den ein unglückseliger Zeitgenosse, in der Luft schwebend, bittet, ihn doch herunterzulassen. Dasselbe gilt für die Sage von dem Raumschiff, in dem es spukt. John Campbell gab zwei Magazine heraus – »*Astounding*« (das später *Analog* hieß) und »*Unknown*«. Nicht alle der Autoren des »Goldenen Zeitalters« der Science Fiction waren imstande, für beide zu schreiben. Keine Frage, daß Bilenkin das gekonnt hätte.

Aber Bilenkin hat noch auf andere Weise einen Beigeschmack von Campbell, und sie liegt in seinem sozialen Engagement bzw. seinem Umgang damit. Issaac Asimov hat einmal geschrieben, Science Fiction enthielte drei Elemente (wobei er oft alle drei, in unterschiedlichen Dosen, in derselben Geschichte miteinander vermengte): »*Was wäre, wenn . . .*«, »*Ach wenn doch nur . . .*« und »*Wenn dies so weitergeht . . .*«, und eben in diesem letzteren liegt die vom soziologischen Aspekt aus gesehen interessanteste Science Fiction. Bilenkin zeigt uns beispielsweise einen Elektronenrechner, der das Persönlichkeitsprofil und den Notendurchschnitt eines Heranwachsenden nimmt und dann feststellt, ob das Lebensziel des Betreffenden der Wirklichkeit entspricht; falls nicht, schlägt er andere Beschäftigungen vor, die dessen Begabung eher entsprechen. Eine gute Idee? fragen Sie sich vielleicht. Spart eine Menge unnütze Laufereien, eine Menge Seelenschmerz? Und dann kommt ein junger Mann herein, der Dichter werden will – der darauf brennt, Dichter zu werden. Der Computer wirft eine Karte aus, auf der steht, daß aus ihm nie einer wird. Der Junge knüllt die Karte gequält zusammen und wirft sie aus dem Fenster. (Schöne Pointe: die Karte läßt sich nicht zerknittern, ihre Plastikoberfläche glättet sich und sie flattert unbeschädigt zu Boden.) Der Professor, der gleichzeitig Erfinder dieses Verfahrens ist, unterbricht einen Augenblick lang und fragt sich, ob er eigentlich das Richtige tut, und dann – doch nein, mehr verrate ich nicht; lesen Sie selbst!

Auch Schönheit rührt, durchdringt Bilenkin; das Schöne ist Thema einer weiteren Science Fiction-Geschichte; hier geht es um eine Sonne in einer fernen Galaxie, die zum Wohle der Menschheit zerstört werden muß und mit ihr ein Planet aus Eis, eine Welt von fast unbeschreiblicher Schönheit. Hier kollidieren sogenannte »Sachzwänge« der Technik unmittelbar mit dem Sinn für das Ästhetische, und die Entscheidung liegt in den Händen der Expeditionsteilnehmer. Und im Gegensatz zu so manch anderer Erzählung ist dies keinesfalls eine Entscheidung auf Leben und Tod, und die Betreffenden werden mit den Folgen ihrer Entscheidung weiterleben müssen.

Diese ethischen Anliegen stehen im Mittelpunkt vieler Geschichten Bilenkins. Was wäre, wenn wir trotz rigoroser und peinlich genauester Vorsichtsmaßnahmen gegen Eingriffe in intelligente Arten einer solchen nicht wieder gutzumachenden Schaden zufügen würden – nicht durch Landung auf einem Planeten, sondern einfach dadurch, daß wir einen untersuchen? Wie steht es mit der Verantwortung, wenn wir, nach Entdeckung des Grabes eines historischen Barbaren, der die Welt erschütterte, dessen Zellstruktur isolieren und einem Kind einpflanzen, das in der Gesellschaft der Neuzeit heranwächst? Wie sieht die moralische Grundlage eines wahrhaft großen wissenschaftlichen Theoretikers aus, der seinen schon fast legendären Ruf dazu benutzt, seine größte Entdeckung zu unterdrücken? Was ist das *wahre* Motiv jener Männer, die mit Muskelkraft allein den Kampf gegen Berge aufnehmen (in einer der schönsten Geschichten in diesem Buch wird dies gründlich ausgeleuchtet; der Berg ist der Mons Olympus, der größte und majestätischste in unserem Sonnensystem, und er liegt auf dem Mars)? Hat man das Recht, unter anstürmenden Pflanzenfressern immer wieder ein Blutbad anzurichten, ohne zu wissen, warum sie stürmen? (Es hat wenige solcher Fabeln gegeben, seit Androkles begriff, daß der Löwe nicht aus Wut, sondern aus Schmerz brüllt.)

Bilenkin schreibt dabei keineswegs antiwissenschaftliche Science Fiction. (Auch das gibt es.) Verbunden mit einem hohen Respekt vor dem wissenschaftlich Machbaren und dessen Möglichkeit, ein Tor zu neuen Errungenschaften aufzustoßen, sowohl das Universum draußen als auch das weit ausgedehntere Universum von Herz und Verstand in einem zu verstehen, gründet sich seine Weltsicht auf die Tatsache – die so viele Wissenschaftsanbeter vergessen –, daß es die anerkannte, orthodoxe Wissenschaft war, die uns Blutegel und Gefäße gab, um Schwerkranke zur Ader zu lassen, und mißgestaltete Neugeborene, verschmutzte Luft, abgetragene Berghänge, tote Gewässer und Industriekatastrophen. Nirgendwo wird dies schärfer aufgezeigt als in der Geschichte des Kunstschaffenden, der in seiner Welt der nahen Zukunft eins der wenigen übriggebliebenen unberührten Naturgebiete ausgemacht hat und sich niederläßt, um es zu malen. (Hier zeigt sich wieder einmal sehr schön, wie reichhaltig und einfühlsam Bilenkins Sinn für Farb- und Stoffnuancen ist.) Das Eindringen der Technik an dieser Stelle ist, trotz all ihrer klaren Logik, völlig unentschuldbar, doch liegt die bittere Pointe darin, daß es lächerlich ist. Natürlich ist es tragisch, daß der Empfindung des Malers ein solch vernichtender Schlag versetzt wird; aber daß dies auf so törichte Art geschieht!

Ich glaube – und das ist eine wirklich subjektive Meinung –, daß mir aus dem wirklich breiten Spektrum dieses Autors von allem am besten dasjenige gefällt, was ich seine »*Unknown*«-Geschichten nenne – beispielsweise die über den Bankangestellten, der in einer Nachrichtensendung von *morgen* hört, daß man seine Bank überfallen hat, und wie er über dem Versuch, es nicht geschehen zu lassen, den nächsten Tag durchlebt; dazu hätte O. Henry persönlich gern etwas gesagt. Und – ist das denn zu glauben? – eine Pakt-mit-dem-Teufel Geschichte, die eine wahrhaft originelle Wendung nimmt; hatten Sie nicht auch geglaubt, die wären inzwischen erschöpft? Und das Durcheinander, das durch die Erfindung einer Zeitbank entsteht, in die sich vergeudete Zeit einzahlen und dann abheben läßt, sobald man etwas tun möchte, für das man sonst nicht die Zeit hatte.

Campbells Magazin »*Unknown*« jedoch widmete sich, neben der »verrückten« und lustigen, einer anderen Art von Phantasieprodukten: dem innersten Kern des Asimov'schen »Was wäre, wenn ...?«, angewandt auf zutiefst menschliche, im Innersten bewegende Situationen und Notlagen. Da ist ein alter Mann, verarmt und vom Tode gezeichnet, der eine besondere Begabung besitzt. Er wirkt durch seine Anwesenheit bei schöpferischen Menschen als Katalysator. Sie sind sich seiner Anwesenheit kaum oder gar nicht bewußt, doch sie läßt sie großartige Bauwerke errichten, großartige Literatur verfassen. Man würdigt und belohnt ihn nicht dafür, und wenige wußten, daß er überhaupt lebte; seinen Tod beweint niemand. Und weshalb drängte es ihn so, Menschen bei ihrer schöpferischen Tätigkeit aufzustöbern? Weil es ihn erwärmte – einfach so. Weil es ihn erwärmte.

Science Fiction entzieht sich einer präzisen Definition und wird es vielleicht immer tun, doch den unermüdlichen Bestrebungen von Autoren, Lesern und Pädagogen, eine Unterscheidung zwischen Science Fiction und Phantastischer Literatur zu treffen, tut dies keinen Abbruch. John Campbell kam einer pragmatischen Unterscheidung ziemlich nahe, als er in einer Anweisung an seine Autoren sagte: »Für ›Astounding‹ will ich Geschichten, die *logisch* sind, *möglich* und *gut*. Für ›Unknown‹ will ich Geschichten, die *logisch* sind und *gut*.«

Ich weiß nicht, in welchem Kämmerchen die Systematiker Dmitrij Bilenkin unterbringen werden, doch diese eine, unangreifbare Aussage werden sie nicht schmälern können: Er ist *gut*.

Theodore Sturgeon

DAS UNSICHERHEITS-PRINZIP

> *»Wer in die Vergangenheit reist, kann dort entweder an einem vorher bestimmten Punkt im Raum oder zu einem vorher bestimmten Zeitpunkt erscheinen. Daß beides gleichzeitig erfolgt, ist grundsätzlich unmöglich.«*
>
> Grundlagen der Zeitlehre, 2023 n. Chr.

Seine Füße verloren immer wieder den Halt, und das beunruhigte Berg. Er war schmutzfestes Schuhwerk gewohnt, und in den groben, schlechtsitzenden Stiefeln wirkte er, wenn in zähen Klumpen der Morast an ihnen hängenblieb, verdächtig unbeholfen. Und auf der ausgewaschenen Straße passierte das ständig. Ein Detail, das sie übersehen hatten. Auf wieviele würde er noch stoßen?

Zum Glück war die Straße menschenleer.

Der Lehm ging in Sand über, und Berg atmete erleichtert auf. Auf einer Anhöhe hielt er inne. Eine alleinstehende Eiche verlor Laub, es segelte sanft zu Boden. Die Felder waren gemäht worden und lagen am Horizont in grauem Dunst, und der Himmel war, wie die Erde, trüb und dunkel. In der Ferne konnte er, der Straße folgend, gerade noch den Turm einer ländlichen Kirche erkennen. Der Regen nahm ihm die Sicht.

Die Planer hatten ihn nicht enttäuscht – die Stelle stimmte. Die Zeit aber? In welches Jahrhundert hatte der Satz von der Unbestimmbarkeit der Zeit ihn geworfen? Das siebte, das siebzehnte? Um das herauszufinden, würde er, so schien es, warten müssen, bis er in der Stadt war.

Erst jetzt, da er über den feuchten Sand schritt, spürte Berg den Unterschied in der Luft zwischen diesem Zeitalter, das er betreten hatte, und der Zeit, aus der er kam. Ein Mensch des zwanzigsten Jahrhunderts hätte einen Unterschied wahrgenommen, der leicht zu erklären war – er lag in der Reinheit der gegenwärtigen Atmosphäre. Doch für Berg und seine Zeit lagen die Jahre lange zurück, da, sagen wir, die Fabrikschornsteine in Nordamerika die Luft in Hawaii verpesteten. Wo dann lag also der Unterschied? Vielleicht war die Luft zu Bergs Zeit auf Dauer von der Technosphäre bestimmt, mit ihren Embryomaschinen, dem Oxidan, den Kunststoffen. So mußte es sein. Hier, in diesem Jahrhundert, fehlte dem Geruch von Wald, Erde und Gras ganz offensichtlich etwas. Irgend etwas ...

»Und die Himmel der Jahrhunderte sind einzig wie die Tage unseres Lebens.« Sheers Gedicht fiel ihm ein.

Und die Himmel der Jahrhunderte sind einzig.

Es bestand, da er die Stadt bei Dunkelwerden betreten sollte, kein Grund zur Eile. Seine Kleidung war sorgfältig dem Gewand eines fahrenden Kesselflickers nachempfunden, doch lag die Schwierigkeit darin, daß sie vielleicht nicht in das Jahrhundert passen würde, in dem er gelandet war. Natürlich unterlag die Kleidung mittelalterlicher Kesselflikker nicht den jeweils letzten modischen Schwankungen. Und er würde, was am allerwichtigsten war, für sie ein Fremder sein und somit zu ungewöhnlichem Äußeren berechtigt. Schließlich war dies die erste – und hoffentlich auch die letzte – Reise eines Menschen in die Vergangenheit.

Er befand sich hier in einer Welt, die seit Jahrhunderten tot war. In Kürze würde er auf seine entfernten Vorfahren treffen, deren Knochen längst zu Staub geworden waren. Und jetzt liefen sie durch die Straßen, saßen in den Schenken, liebten und stritten sich, lachten ...

Es war verrückt, unglaublich, und doch wahr. Denkt man jedoch darüber nach, so ist die Zukunft für die Vergangenheit viel unwirklicher, als dies die Vergangenheit für die Zukunft ist. Weil nämlich die Vergangenheit existiert hat. Und die Zukunft ist ein Nichts, ein Vakuum, lediglich weißer Nebel. Berg würde ein Besucher aus einem Irgendwo sein, das es für niemanden, den er treffen würde, gab. Berg betrachtete seine Hände. Gewöhnliche, kräftige, schwielige Hände. Berg mußte lächeln, als er an den wissenschaftlichen

Rat dachte und die Debatte darüber, wie seine mittelalterlichen Schwielen wohl am besten nachzumachen wären.

Die Straße führte in das Dorf, doch Berg nahm einen Weg, der hier abzweigte und durch den Wald und um die Siedlung herumführte. Zwar hatte er keine Angst davor, zur Unzeit befragt zu werden oder auf jemanden zu stoßen, doch würde man die Dienste eines Kesselflickers in dem Dorf vielleicht gerade benötigen, und sein Vorhaben sah keine Verzögerung vor.

Der Wald hatte mit den gepflegten Waldgebieten seines eigenen Zeitalters wenig gemein. Unterholz, gebrochene Äste, Dickicht – er war fast undurchdringlich. Er zeugte von der Abwesenheit menschlicher Wesen, vom Mangel an Arbeitskräften, von der Abgeschiedenheit sich selbst überlassener Ortschaften. Die Landstraße war nur ein schmaler Streifen Morast, zuletzt von einem Karren benutzt, bevor der Regen einsetzte. Den Weg hatten Tiere getreten, obwohl die Ortschaft nicht weit war. Wie es schien, war er im frühen Mittelalter gelandet. Zu früh vielleicht?

Jenseits eines dunklen Hohlweges lag ein Kiefernwäldchen, und durch die Lichtung zu seiner Rechten erhaschte er einen flüchtigen Blick auf die Kirche, bevor die Bäume ihm wieder die Sicht nahmen. In einer Schar krächzten Krähen über ihm. Von dem dunklen Himmel fiel Regen. Der Boden unter den Fichten war mit rotweißen Pilzen übersät. Wenig später stieß er auf grasüberwachsene Hügel und graue, windschiefe Kreuze. Ein Friedhof. Ein paar der Inschriften konnte er erkennen. Er las Daten, verwitterte Bibelzitate; Worte der Trauer und des Schmerzes.

Dann stockte ihm plötzlich das Herz. Dort in den Büschen stand ein neues, weißes Grabkreuz, und der Name, der darauf stand, lautete Berg.

Das Grab war so frisch, daß der Lehm darauf noch trocken war. Berg erzitterte. Man würde ihn umbringen, hier in dieser Zeit, und sie würden ihn begraben!

Nur mühsam gelang es ihm, sein Herzklopfen zu überwinden. Was für ein Unsinn! Der hier begraben lag, war tot, und er lebte. Rätselhaft war hieran gar nichts. Ein Zufall. Berg war ein Name, der häufig vorkam. In Schottland gab es wahrscheinlich Dutzende Generationen von MacPhersons. Vielleicht war der Familienname Berg ebenso alt, und ein paar davon lebten hier. Aber das bedeutete ... das bedeutete, er träfe vielleicht ... natürlich, hatte er das nicht vorher gewußt?

Berg schüttelte den Kopf, während er sich schnell von dem Grab entfernte. Es war eine einfache Rechnung, sonst gar nichts. Jeder Mensch hatte zwei Elternteile, vier Großeltern, acht Urgroßeltern, sechzehn Ur-Urgroßeltern und, wenn man zehn Generationen zurückverfolgt, über tausend Vorfahren. Und wenn man noch weiter zurückgeht ... Bezog man auch entfernte Verwandte mit ein, die sich verheirateten, dann waren wahrscheinlich sogar die Mehrzahl der Bewohner einer beliebigen Ansiedlung in Europa mit dem Berg des einundzwanzigsten Jahrhunderts direkt verwandt. Und er konnte irgendeinen Cäsar Gaius als zu seiner nahen Verwandtschaft gehörig betrachten.

Was die Abstammung doch für eine furchterregende Angelegenheit war.

Der Vorfall ließ, so sehr er sich auch zu beruhigen trachtete, in seinem Mund einen unangenehmen Geschmack zurück. Er beschleunigte seine Schritte, um dem Friedhof zu entkommen. Man stelle sich vor – jeder zwanzigste (oder zehnte, oder siebte), der hier begraben lag, war einer seiner direkten Vorfahren! Der Gedanke, daß sein Aussehen, seine Persönlichkeit, seine Existenz überhaupt, an solch einem seidenen Faden hing, rief in Berg Übelkeit hervor. Hätte jemand im Mittelalter jemand anderen nun nicht getroffen, oder wäre es zum Streit gekommen, vielleicht ausgerechnet in der Stadt, die er nun besuchte, dann gäbe es Berg vielleicht nicht einmal. Oder er hätte andersfarbene Augen und einen anderen Charakter, ein anderes Schicksal gehabt.

Das war auch einer der Gründe, weshalb bisher niemand die Erlaubnis zu einem Besuch in der Vergangenheit erhalten hatte.

Berg beruhigte sich erst, als der Weg zurück auf die Straße führte, mit ihrer Hügellandschaft und der Aussicht auf die Ferne.

Wind kam auf. Hinter einer Biegung tauchte ein trüber, schmaler Fluß auf, mit einer schmutzigen Brücke, die zu einem recht unscheinbaren Festungstor führte. Berg blieb stehen, um die gezackte Silhouette der Stadtmauern einer schnellen Prüfung zu unterziehen. Sie war es! Er fand sofort die Umrisse der Dicken Jungfrau, die ihm von Photos her vertraut waren. Das bedeutete, daß er ungefähr im richtigen Zeitraum gelandet war, denn der Turm war nicht vor dem zehnten Jahrhundert erbaut und im vierzehnten von den Rittern des Herzogs von Berkeley wieder zerstört worden. Es bedeutet auch, daß seine Verkleidung passen würde und er sich nicht erst im Gebüsch umziehen mußte.

Er holte seine Reservekleidung hervor und übergoß sie mit einer Flüssigkeit, die wie Wein schmeckte und auch so aussah. Als er sich vergewissert hatte, daß der Stoff zu Staub zerfallen war, machte er sich in Richtung der Brücke auf den Weg.

Als er auf die Brücke trat, war sein Verstand kühl und klar und frei von nebensächlichen Dingen. Und dennoch schien ihm so, als brauche er bloß den Kopf zu schütteln, und alles würde verschwinden.

Doch dem war nicht so; die Hunde, die ihn angriffen, als er die Brücke überquerte, waren nur allzu wirklich. Es war eine ganze Meute, schmutzig, räudig und zottig. An den Boden geduckt, kläfften sie ihn wütend an.

»Was ist das jetzt?« dachte Berg und faßte seinen Stab fester. »Ich habe keine Ahnung, was ein Reisender tut, wenn er plötzlich auf eine Meute von . . . überhaupt, was ist los mit ihnen?«

Die Hunde wichen zurück, als er einen Schritt auf sie zutrat. Ihr Knurren war einem verwirrten Winseln gewichen, in dem sowohl Feindseligkeit als auch Furcht lagen. Da verstand Berg plötzlich. Natürlich! Seine Kleidung und seine Schuhe trugen noch den Geruch des Zeitalters, in dem sie hergestellt worden waren, den seltsamen, fremdartigen Geruch von Kunststoff.

Berg blickte voll neugewonnener Hochachtung auf die Hunde; dann trat er, ohne sie weiter zu beachten, auf die Tore zu. Es näherte sich jetzt der wichtigste Augenblick von allen, der Augenblick, der über die Wirksamkeit seiner Maskerade entscheiden würde.

Doch nichts geschah. Aus einem vergitterten Fenster sah ein Gesicht heraus und verschwand dann. In dem Wachhäuschen hörte er Würfel klicken – wegen irgendeines Bettlers ihr spannendes Spiel zu unterbrechen, fiel ihnen offenbar nicht ein.

»Es scheint, als käme ich zu Friedenszeiten«, entschied Berg.

Den Menschen war es verboten, in die Vergangenheit zu reisen, doch daß man als Wolken getarnte Chronoskaphe aussandte, um die Vergangenheit zu photographieren und zu beobachten, dagegen war nichts einzuwenden. Natürlich wurden sie, aufgrund des Unsicherheits-Prinzips, der sogenannten Unbestimmbarkeitsrelation oder Unschärferelation Heisenbergs, sozusagen aufs Geratewohl hinausgeschickt. Handelte es sich nur darum, ein paar Jahre zurückzugehen, so ließ sich der Ort relativ gut bestimmen, doch ein paar Jahre mehr machten die Ergebnisse bereits vollkommen unvorhersehbar. Einen Rechner auf das Schlachtfeld von Cressy zu schicken, war schlichtweg unmöglich. Natürlich ließ das Gerät sich auf den genauen Zeitpunkt der Schlacht einstellen, doch dann würde die Kamera überall, nur nicht über der Ortschaft Cressy auftauchen. Andersherum konnte man die Kamera geradewegs über dem Schlachtfeld postieren, aber dann konnte niemand vorhersagen, um wieviele Jahrzehnte oder Jahrhunderte sie danebenliegen würde.

Dies stellte keine allzugroße Schwierigkeit dar, denn Geschichtsforscher interessierten sich für alle Zeitalter. Also wurden die Kameras meist an eine bestimmte Stelle ausgesandt, was zu einem sehr sprunghaften Zeitverlauf führte. Das war immer noch besser als gar nichts. Und bis zu dem

Zwischenfall verlief alles bestens. Da reagierte eine Haufenwolkenkamera nicht auf den Befehl zur Rückkehr. Also gab man ihr einen Kurs vor, der sie auf eine Gewitterwolke stoßen ließ, in der ein Blitzschlag die Explosion tarnen würde. Doch auch der Zerstörungsmechanismus versagte. Der Kristallblock des Antigrav-Geräts überlebte, wenn auch beschädigt. Und um das Maß der Schwierigkeiten voll zu machen, geschah all dies unweit einer Stadt.

So tauchte ein Erzeugnis des einundzwanzigsten Jahrhunderts im elften auf und fiel möglicherweise Menschen in die Hände. Der zusammengeschmolzene ›Stein‹ konnte selbstverständlich keinen Verdacht erregen. Doch könnte der Kristall die Kriege, Brände und Unruhen überstehen und in das zwanzigste Jahrhundert geraten, wo man seinen synthetischen Ursprung gewiß festgestellt hätte. Eine Erkenntnis zur Unzeit, eine, die gefährlich war, den Verlauf der Geschichte zu ändern vermochte – das hatte noch gefehlt.

Die übervölkerten Straßen beeindruckten Berg nicht – mit ihnen hatte er sich vorher eingehend befaßt. Wohl aber die Gerüche, der Gestank von Müll, Pferdemist und Schlimmerem. Langsamer, sagte sich Berg. Vor tausend Jahren hatte man es nicht so eilig. Mit zusammengeraffter Soutane schritt ein Priester über eine Pfütze hinweg. Abermals forderte ein Hund ihn kläffend heraus und zog sich dann zurück.

Es wurde allmählich dunkel, doch blieb sein Äußeres nicht unbemerkt. Einige Passanten musterten ihn. Nicht aus irgendeinem besonderen Grund – nur, daß dies eben eine Kleinstadt war, abgeschieden und sich selbst überlassen. Zorn, das in der Nähe lag, war schon eine vollkommen andere Welt, und was Brabant oder dergleichen anbelangte – nun, das lag praktisch am Ende der Welt. Ein Reisender aus der Fremde war ein Ereignis, wenn auch kein sonderlich großes. Es machte nichts, ob sie über ihn klatschten oder nicht, solange seine Spur sich nicht von anderen unterschied. Selbst, wenn es die Spur eines Diebes war.

»Es wird sich schon alles klären«, dachte er. Allerdings war die Hoffnung auf Erfolg gering. Alles war Glückssache. Eine

Menge Glück hatte er schon gehabt, als er in dem mehr oder weniger richtigen Zeitalter landete. Im richtigen Zeitalter? Wenn dies erst der Beginn des elften Jahrhunderts war, mußte er zurück, denn dann würde es hier keine Spur des Antigrav-Geräts geben. Wieviele Versuche würden dann noch stattfinden müssen? Zwei, drei, zehn, hundert vielleicht, um im zwölften Jahrhundert auszukommen. Die Unbestimmbarkeitsrelation machte aus der Aufgabe ein Glücksspiel, bei dem das große Los irgendwo zwischen Hunderten von Nieten versteckt lag (zum Glück gelangen Reisen durch die Zeit nur innerhalb eines Zeitraums von ein paar tausend Jahren). Doch sogar eine genaue Landung, innerhalb eines Jahrhunderts, garantierte noch keinen Erfolg. War das Antigrav-Gerät im, sagen wir, zwölften Jahrhundert nicht in der Stadt, konnte das bedeuten, daß es in einem Sumpf niedergegangen, oder gefunden worden und als seltenes Stück an einen fahrenden Händler verkauft worden war. Und dann würde die Suche in ein Verwirrspiel ausarten, das kein Detektiv sich je erträumt hatte – dann galt es zu erraten, in welchem Teil des mittelalterlichen Europa der gesuchte Gegenstand sich befand.

Ohne es zu wollen, mußte Berg lächeln. Nicht, weil er ein hervorragender Fachmann oder besonders schlau war, hatten sie ihn ausgesucht, sondern weil er, seltsam genug, ein besonderer Glückspilz war. Bei den meisten Leuten sind Erfolg und Mißerfolg einigermaßen gleichmäßig verteilt. Doch gibt es erstaunliche Ausnahmen. Einige ziehen Katastrophen an wie hohe Bäume den Blitz, andere wieder stoßen sie ab – eine Erscheinung, die seit alters her bekannt, aber nie verstanden worden ist. Bis jetzt hielt sein Ruf, stets Glück zu haben, was er versprach.

Der Kleidung der Passanten nach zu urteilen, befand er sich im späten zwölften oder frühen dreizehnten Jahrhundert. Er mußte es genauer wissen und schlug einen Weg in Richtung des Doms ein. Wenn sich auf dem Vorplatz die Standbilder der Heiligen befanden, war er im dreizehnten Jahrhundert. Wenn nicht ...

Die Standbilder waren da, und sie waren nicht einmal nachgedunkelt. Das bedeutete, daß etwa 150 Jahre vergangen waren, seit das Antigrav-Gerät niedergegangen war. Eine Zeitspanne, die die Suche erschwerte. Dennoch war es ein erstaunliches Glück.

Berg konnte den Platz in seiner Gänze überblicken. Er sah sich um. Die dunklen, dichtgedrängten Häuserfronten, das Pferd, das um die Ecke wieherte, die Passanten, die mit der Dunkelheit verschmolzen, sowie die fremdartige Sprache und Kleidung, all das bedrückte ihn. Eine schweigende Gruppe von Bürgern überquerte den Platz. Ihr Weg würde sie direkt an ihm vorbeiführen, und schlagartig wurde ihm klar, daß er auch eine noch so unbefangene Überprüfung in seiner jetzigen Stimmung nicht durchstehen würde. So unauffällig es ging, schlüpfte er durch die offenen Kirchentüren.

Im Inneren war es sauber, erhebend und nahezu taghell. Gemessen an diesem Jahrhundert herrschte strahlender Glanz, obwohl es sich für jemanden, der an Elektrizität gewöhnt war, um eine finstere Höhle handelte. Doch begann Berg, ein Gefühl für das Mittelalter zu entwickeln, und er war imstande, den Kontrast zwischen dem Inneren der Kirche und der Außenwelt zu würdigen. Kerzen brannten und verbreiteten ihr Licht. Sanft tönte eine Orgel, und im flakkernden Halbdunkel der Kuppel sah er Gold und die entsagungsvollen Gesichter der Heiligen, die auf ihn herunterblickten. Und je länger Berg sie betrachtete, desto ruhiger und stärker fühlte er sich. Er probierte ein ironisches Lächeln, doch die Ironie überzeugte nicht. Die gleichmäßigen Bewegungen der Betenden, das Flackern der Kerzen, die getragenen Klänge ließen ihn die Dunkelheit vergessen. Es handelte sich um Hypnose, ausgelöst durch Rhythmus, Farbe und Ton, und sonst nichts.

Nein, das war mehr. Berg war imstande, jeden einzelnen Bestandteil dessen, was da auf ihn einwirkte, herauszulösen und zu würdigen, und doch war alles in seiner Gesamtheit mehr als Hypnose. Hier, jetzt, im tiefen Mittelalter, diente all dies als Überdruckventil. Die Menschen machten die trügerische Erfahrung, eins zu sein mit sich selbst, mit anderen, mit diesem geheimnisvollen Wesen dort in der Kirche, das über sie wachte und sie erhielt, sie schalt und segnete, erleuchtete und in den Staub stieß, sie erhob und versöhnte. Ein gänzlich anderer, von Furcht geprägter Gefühlszustand, und eine Geisteswelt, die, wenn auch abstoßend, so doch verständlich war.

Nach einer Weile ging Berg hinaus. Ein kalter Wind durchfuhr ihn, und er hüllte sich in seinen Mantel. Als er um die Ecke bog, wäre er fast auf einen Mann geprallt, der in Lumpen gekleidet war und sich kaum auf den Beinen halten konnte – der Mann war entweder krank oder betrunken.

»Hört ...«

Berg wandte sich nicht um, obwohl eine innere Stimme ihn anhielt, dem Mann zu helfen. Doch wie ein Reflex zwang ihn das, was er gelernt hatte, jedes Engagement für unangebracht, vielleicht sogar gefährlich zu halten.

»Hört, hört«, murmelte der Mann monoton, vielleicht an die Mauer gewandt.

Vermutlich handelte es sich um einen Bettler.

Wo sollte er jetzt hin? Das war gleichgültig. Der Inhalt seiner Tasche, die Gürtel, die Kleidung, die er trug und der kupferne Ring an seinem Finger ähnelten Gegenständen aus der fernen Vergangenheit nur äußerlich. Auf wen würde ein gewöhnlicher Feuerstein verdächtig wirken? Oder ein Stück Glimmer? Und doch war der Feuerstein eine Infrarotlampe, und der Glimmer machte den Infrarotbereich sichtbar für ihn. Der Ring war sogar noch wichtiger. Er vermochte den Aufenthaltsort des Antigrav-Geräts auszumachen. Jetzt war er kalt. In einem Radius von hundert Metern um den Antigravitator würde er wärmer werden. Wie in dem Spiel für Kinder – warm, wärmer, heiß.

Er besaß keine Waffe. Überhaupt keine. Dem Plan zufolge durfte sogar in der unvorhergesehensten Lage nichts von dem, was er tat, die Gefahr einer Veränderung der Geschichte bergen. Natürlich wäre in einem Zeitalter, da die Menschen an Wunder glaubten, niemand allzusehr überrascht, wenn er ein Wunder vollbrächte. Jede Faser hörte mit der Zeit auf zu schwingen, und nur ein Riß war gefährlich. Nun könnte eine Tötung in Notwehr aber so ein Riß sein und zu den unvorhersehbarsten Folgen führen. Auch was Kleinigkeiten anbelangte, mußte er vorsichtig sein, denn Theorien waren eben bloß Theorien, und wer hatte sie je einer Prüfung unterzogen? Wer besäße den Mut, sie zu prüfen?

Der Wind trieb die Wolken auseinander. Berg versuchte, seine Hände in die Taschen zu stecken und fand erstaunt heraus, daß er keine besaß. Noch eine Kleinigkeit, die er übersehen hatte. Aus Unbedachtsamkeit hatte er eine Geste gemacht, die im dreizehnten Jahrhundert kein Mensch gemacht haben könnte, einfach, weil man damals keine Taschen besaß.

Plötzlich verspürten seine Finger Wärme. Berg erstarrte, ungläubig. Würde es so einfach sein? Er hastete durch die schmalen Gassen und geriet jedesmal, wenn der Ring sich abkühlte, in Panik. Doch dann beruhigte er sich allmählich und zog seine Kreise enger, bis ihm klar wurde, daß sich das Antigrav-Gerät hinter den Mauern eines dieser Häuser befand.

Licht brannte hinter den beiden kleinen Fenstern im ersten Stockwerk, das in die Straße hineinragte. Die Bewohner waren noch wach. Das machte nichts. Nichts machte jetzt mehr etwas. Eine stille, freudige Zufriedenheit ergriff von Berg Besitz. Jetzt war alles so gut wie vorbei. Es war ein schönes Städtchen gewesen, mit seinen Ziegeldächern, seiner behaglichen Vorzeitlichkeit, seiner ganzen Erscheinung. Berg prägte sich die Örtlichkeiten des Hauses und der Zugänge ein und sah sich die Tür genau an. Hierzulande ging man früh zu Bett, und es konnte nicht schaden, auf ein Stündchen in die Schenke zu gehen und das Treiben zu beobachten. Dann würde er zurückkehren, tun, was notwendig war, und auf Wiedersehen, Mittelalter! Er kam als ein Schatten, und wie ein Schatten würde er wieder verschwinden; nur die Hunde hätten dabei etwas gelernt. Im einundzwanzigsten Jahrhundert würde der Arzt seine schmutzigen Stiefel und seinen fleckigen Umhang untersuchen und sagen: »Also echt sehen Sie zumindest aus. Und haben Sie uns auch die Pest gleich mitgebracht?«

Je eher, desto besser.

Er fand in der Nähe eine Schenke. Zu Bergs Verwunderung beachtete ihn kein Mensch. Alle standen um eine Bank gedrängt, auf der ein Bursche mit großen Ohren in einer neuen Lederhose saß. Die Aufmerksamkeit ließ ihn rot anlaufen. Unter der Bank war eine Pfütze. Krüge wurden hochgehalten, und Witze, die Berg nicht verstand, erfüllten die Luft. Es herrschte ein muffiger, übler Geruch, und an den Balken hing Ruß in großen Flocken. Die Hitze des Kohlenfeuers stand auf den überhitzten Gesichtern, glänzte rot auf schwitzenden Wangen und drang in die lachenden Münder.

Als Berg einen Platz in der Ecke fand, blickte niemand zu ihm auf. Der Besitzer, ein Mann um die Vierzig mit hängenden Schultern und einer gekrümmten Nase, löste sich aus der Menge und fragte nach seinen Wünschen.

»Abendessen«, sagte Berg knapp.

»Ihr seid von weit her?« fragte der Wirt, dem sein Akzent nicht entgangen war.

»Aus Brabant.«

»So, so.«

Der Wirt entfernte sich leicht gebückt. Berg folgte ihm mit seinem Blick, vergaß ihn dann aber sogleich, weil Gelächter und Gerede abrupt aussetzten.

Er konnte über die Rücken der Männer hinwegblicken. Ein fetter Geselle mit einem Dreifachkinn bewegte sich langsam auf den Jungen auf der Bank zu. Er berührte seine Schulter, und der Junge erzitterte, als habe man ihm einen elektrischen Schlag versetzt. Bewegung kam in die Männer, und Gemurmel erhob sich.

Dann erhob sich der junge Mann, und mit ihm, zu Bergs Verblüffung, die Bank. Der Junge machte eine langsame Drehung, und die Bank mit ihm, solange, bis ein jeder überzeugt war, daß die Bank fest an seiner Hose klebte. Sodann erhob sich ein wundersames Gebrüll.

Berg verstand. Warum war er nicht gleich darauf gekommen, daß man den Jungen in die Reihen der Brauer aufgenommen hatte? Der Bewerber hatte Bier zu brauen, einen Krug davon auf eine glatt geschmirgelte Bank zu gießen und sich in neuen Lederhosen hineinzusetzen. War das Bier gut, blieb die Bank an der Hose kleben. Es bedeutete, daß es in der Stadt nun einen weiteren Braumeister gab.

Den Feierlichkeiten haftete etwas Kindisches und Unmittelbares an. Während Berg das zähe Fleisch kaute (es war kein Plastikfutter, das stand fest), verspürte er beinahe so etwas wie Neid. Er wäre wahrscheinlich nie fähig, so brüllend loszulachen, den Burschen zur Belohnung durchzuwalken, Bäche von Wein oder Bier in ihn hineinzugießen, Berge von Fleisch zu verdauen, laut zu rülpsen, mit den Stiefeln zu trampeln, sich der Stimmung des Augenblicks so ganz und gar hinzugeben. Er rief den Schankwirt, zahlte und ging.

Der Himmel hatte sich merklich aufgehellt. Dort, wo sich der Mond befand, leuchtete der Himmel milchig über der durchbrochenen Linie der Dachfirste. Doch darunter war es vollkommen dunkel. Berg war vielleicht zehn Schritte gegangen, als er vor sich Fackeln erblickte.

Berg sah sich um. Auch von hinten näherten sich ihm Lichter. In ihrem Schein glänzten Waffen. Die Nachtwachen. Na und?

In dem flackernden Licht wurden behaarte Antlitze sichtbar, schwer atmende Münder und der Stahl von Messern und Helmen. Berg drückte sich an die Mauer, um sie vorbeizulassen. Ein paar Speere drückten sich gegen seine Brust.

»Halt ihm das Messer an die Kehle!« ertönte ein triumphierender Befehl, und eine Vielzahl bärenartiger Leiber warf sich auf ihn.

»Weshalb?« schrie er mit gedämpfter Stimme. »Ich bin aus Brabant, ich bin . . .«

Zur Antwort bekam er beißendes Gelächter.

»Erzähl das deiner Großmutter! Glaubst du, du kannst dich verkleiden und uns entwischen, Berg?«

Berg?

Sie schleppten ihn davon, fluchten, rochen nach Käse, Knoblauch und Zwiebeln.

Der Raum, in den sie ihn schließlich drängten, war klein. Die steinerne Nacktheit der Mauern war mit zwei oder drei Wandteppichen verhängt, die kaum erkennbar waren. Links von dem lodernden Kaminfeuer stand ein rauchender Kerzenständer, rechts davon ein Tisch mit einem Lehnstuhl. In dem Stuhl saß ein weißhaariger alter Mann im Gewand eines Bischofs, so vertrocknet und faltig, daß es schien, als drücke sich das massive Kreuz, das er trug, durch seine Brust. Der alte Mann wandte langsam den Kopf. Berg konnte die Fakkeln der Wächter knistern hören.

»Näher, bringt ihn näher heran!« sagte der Bischof mit einer Stimme wie raschelndes Papier.

»Ich bin nicht der, für den ihr mich haltet«, sagte Berg vernehmlich. »Dies ist ein Irrtum. Ich bin nie zuvor in eurer Stadt gewesen, ich . . .«

»Ich weiß.« Des alten Mannes Hand schlug leicht auf die Lehne seines Sessels. »Ich weiß, wie unverschämt du bist. Unverschämt und gotteslästerlich. Hattest du gehofft, ich würde den Gerüchten von deinem Tod Glauben schenken? Du solltest jetzt auf den Knien liegen und um Gnade flehen. Die Todesstrafe ist kein Vergnügen, weißt du?«

Der Bischof beugte sich vor. Sein Hals wurde lang wie der einer gerupften Gans. Einer der Wächter schnaubte durch seine verrotzte Nase.

Zu seiner eigenen Verblüffung lachte Berg höhnisch auf. Der Mund des Bischofs öffnete sich weit. Die von den Fakkeln geworfenen Schatten zuckten, und die Anwesenden erstarrten in lähmendem Schweigen. All dies hier war verrückt, ein Schaustück aus einem Wachsfigurenkabinett, das ihn nichts anging. Er lächelte abermals.

»An den Wippgalgen!« Des Bischofs Kopf erzitterte. »Morgen!«

»Und was wird aus ihr?« fragte jemand. »Sie auch?«

»Auch sie. Vor ihm. Vor seinen Augen. Vor deinen Augen, Berg. Da zitterst du noch nicht? Auf einem ganz, ganz niedrigen Feuer soll sie brennen, mit dem Wechselbalg, der aus eurer ungesetzlichen, unzüchtigen Beziehung hervorgegangen ist. Denk nach über die Reue! Denk darüber nach!«

Der Bischof sank in seinen Stuhl zurück. Er hätte wie ein Toter gewirkt, wäre da nicht der feurige Blick in seinen Augen gewesen. Berg zuckte voller Verachtung die Achseln.

Man ergriff ihn und sperrte ihn in eine winzige Kammer. Der Riegel klirrte, und Schritte entfernten sich nach oben.

Eine Zeitlang lag Berg unbeweglich da. Daß er der Doppelgänger irgendeines hier ansässigen Berg war, war ein erstaunlicher Zufall, doch dafür jetzt die Chancen auszurechnen oder über die Theorie der Wahrscheinlichkeit nachzugrübeln, war ein sinnloses Unterfangen. Vielleicht handelte es sich sogar um den Berg, dessen Grab . . . nein, das war unmöglich. Der Berg des dreizehnten Jahrhunderts hatte sich etwas zuschulden kommen lassen, seine Feinde hatten ihm eine Falle gestellt, und ein Mann aus dem einundzwanzigsten Jahrhundert war hineingetappt. Was für eine Situation! Es sah so aus, als hätte der Schankwirt ihn verpfiffen. Aber auch das war nicht von Bedeutung. Womit hatten sie ihm gedroht? – Ach ja, mit dem Wippgalgen.

Berg erzitterte vor Wut und Ekel. Man band den Verurteilten an das eine Ende einer Wippe, senkte ihn ins Feuer und zog ihn dann wieder hoch, um ihm eine Galgenfrist zu geben – das war der Wippgalgen. Ein Mensch wurde langsam gebraten.

Diese Schweinehunde, diese verblödeten Sadisten! Aber er würde es ihnen zeigen. Sie würden noch für ihn tanzen, mit wehenden Soutanen. Sie waren an den Falschen geraten. Er wünschte, er könnte am Morgen ihre Gesichter sehen.

Der Mond lugte jetzt öfter hinter den Wolken hervor und warf lange Schatten der Gitterstäbe vor dem Fenster in der Zelle. Berg rasselte mit seinen Ketten und lächelte siegessicher. Diese dummen, dicken Ketten aus minderwertigem

Metall, diese simplen Gitterstäbe im Fenster – die Wärter hatten keine Ahnung, was ein Mensch des einundzwanzigsten Jahrhunderts war und was er vermochte.

Diese Herberge behagt mir nicht, sagte sich Berg. Sie ist feucht und kalt. Doch eigentlich könnte ich hierbleiben, um meine Bildung zu vervollkommnen.

Er legte sich hin und schloß die Augen. Sein durchtrainierter Körper wußte, was zu tun war. Eine dunkle Welle senkte sich über sein Bewußtsein. Alle Zellen seines Körpers und Geistes folgten nunmehr einem einzigen Rhythmus, dem furchterregenden Rhythmus, der entsteht, wenn sich all die Mächte eines Organismus im Gleichklang befinden.

Berg zog. Die Ketten barsten.

»Schon besser so«, sagte Berg.

Was früher unter Millionen Menschen vielleicht einem unter großer Belastung gelang, war nunmehr eine Kraft, die ein jeglicher Zeitgenosse des einundzwanzigsten Jahrhunderts für sich gezähmt hatte, und jedermann wußte, wie die verborgenen Energiereserven, die die Grenzen der »normalen« Körperkraft um das Hundertfache erhöhte, einzusetzen war.

Berg wartete, bis der Augenblick der Schwäche vorbei war, erhob sich, schüttelte die verbleibenden Ketten ab und bog dann das Fenstergitter auseinander.

Er brauchte jetzt eine halbe Stunde Ruhe. Wären die Wärter, angezogen von dem Lärm, nun gerannt gekommen, wäre Berg nicht zur Gegenwehr imstande gewesen; vor allem den Speeren, Schwertern und sonstigen Waffen hätte er nichts entgegenzusetzen gehabt. Doch weder vor der Tür noch unter dem Fenster stand jemand Wache. Warum auch? Die Ketten waren massiv, und die Gitterstäbe verläßlich.

Seine Zelle befand sich in einem Turm. Die unebene Mauer versprach einen leichten Abstieg. Berg wartete, bis der Mond verschwunden war, und kletterte aus dem Fenster.

Er ließ sich langsam hinab, zuversichtlich wie ein Bergsteiger. Er hatte dieser schwerfälligen Zeit mit ihren bizarren Gesetzen und Zwischenfällen nie angehört. Die momentane

Furcht, da sie ihn überrascht und gefangengenommen hatten, war überwunden, und nach dem Ausbruch fühlte er sich wieder wie ein Mann seines Zeitalters – stolz, selbständig und mächtig.

Berg sah, daß sich direkt unter ihm ein Fenster befand. Er umging es. Sein Kopf war auf einer Höhe mit dem Ansatz der Gitterstäbe, als sich unter seinen Füßen Steinchen lösten. Berg erstarrte, die Hände ans Gitter geklammert, und in diesem Augenblick trat der Mond wieder hervor.

Im gleichen Mondlicht konnte Berg erkennen, wie sich hinter den Gitterstäben jemand regte. Zitternde Finger faßten seine Hand.

»Du bist gekommen! Ich wußte es, ich habe Vertrauen zu dir gehabt, mein Liebster!«

Berg unterdrückte einen Aufschrei des Entsetzens. Hinter dem vergitterten Fenster erblickte er eine junge Frau, fast noch ein Kind. Sie streckte die Arme nach ihm aus und schluchzte und lächelte, und in ihrer flüsternden Stimme lag soviel Seligkeit, daß sich Bergs Herz zusammenzog.

Das also war die Braut jenes anderen Berg, das bemitleidenswerte Mädchen, das am Morgen verbrannt werden sollte!

»Du bist der wunderbarste, liebste, verläßlichste Mensch, den ich kenne, geliebter Berg. Eile, rette unser Kind!«

»Unser Kind? Natürlich.« Berg kam es vor, als stürze er durch den Raum. Er mußte sich ihrer entledigen, damit sich die Geschichte nicht ändern würde.

Das Mädchen küßte seine Hände.

»Still!« sagte Berg.

Er rüttelte an dem Fenstergitter. Es hatte keine Querstäbe und löste sich leicht aus der Verankerung. Er zog sie durch die Öffnung. Sie war gekleidet wie eine Nonne. Deshalb also, dachte Berg. Er war ihr gegenüber kalt wie ein Roboter. Er suchte sich unten eine Stelle aus, sprang hinab, breitete die Arme aus und half ihr herunter.

»Unser Kind beginnt ein stürmisches Leben«, sagte sie, noch ganz außer Atem.

»Gehen wir«, sagte Berg.

Sie verschwanden im Dunkel der schläfrigen Gassen.

Berg hatte jetzt Zeit nachzudenken, doch es gelang ihm nicht. Wozu auch? Dieses Mädchen und ihr Kind hätten auf dem Scheiterhaufen sterben sollen, und das würde jetzt nicht geschehen. Durch alle Zeitalter hindurch würden ihre Nachkommen leben, was vorher nicht der Fall gewesen war.

Er hatte das Bedürfnis, sie und sich umzubringen.

Sie erreichten die Stadtmauer. Ein Haus reichte bis fast an die Mauer heran, und dazwischen war eine dunkle Lücke.

»Du wartest hier!« befahl Berg.

Er hatte mit Einwänden gerechnet, mit Erstaunen, Angst, doch obwohl er spürte, wie sie zitterte, nickte sie nur.

»Ich werde versuchen, keine Angst zu haben«, sagte sie.

»Ich bin bald zurück«, murmelte Berg.

Ohne zu wissen, warum, drückte er ihre Hand. Sie umarmte ihn sekundenlang und ließ ihn dann abrupt los.

»Ich weiß, du mußt gehen. Damals sagtest du mir, es würde alles in Ordnung kommen, und ich sollte mich nicht fürchten. Ich fürchtete mich nicht. Aber wird alles wie früher sein, wenn du zurückkommst?«

»Ja, ja doch.«

Was würde wie früher sein? Berg war sich nicht sicher, wohin er lief und warum. Aber irgend etwas leitete ihn mit der Präzision eines Autopiloten, und ihm wurde bewußt, daß sein Ring erneut warm war. Vor ihm ragte das Haus auf wie ein Fels. Er tastete nach dem Schloß. Man hatte ihm bei seiner Festnahme die Tasche genommen, doch seine Gürtelschnalle war ein ausgezeichnetes Werkzeug. Es gelang ihm, die Tür zu öffnen und den Glimmerstein einzusetzen wie ein Monokel. Die Wärme seiner Hand setzte die Suchlampe aus »Feuerstein« in Betrieb. Vorraum, Tür, Treppe. Berg wedelte mit der Hand durch die Luft, und der Ring deutete auf die Treppe. Die Stufen wirkten nicht sonderlich vertrauenerweckend. Er zog seine Schuhe aus. Er war so ruhig, als hätte er sein ganzes Leben lang mittelalterliche Wohnungen ausgeräumt. Die Treppe führte zu einem Korridor. Das Haus roch nach Wärme, Rauch und verrottendem Holz. Es herrschte Totenstille, nur eine Maus kratzte irgendwo.

Hinter der knarrenden Tür lag ein Zimmer, das einem Museum glich. Regale voll mit Pflanzen, ausgestopften Tieren und Vögeln, Sanduhren, Mineralien, Wachsstückchen, Totenschädeln, Kelchen, Pergamentrollen – das und mehr lag, stand und hing in dem Zimmer, war über Tische und Stühle verstreut. Sein Suchstrahl glitt über die Gegenstände hinweg, bis er auf einem rußigen Waldhorn in der Ecke haften blieb. Fast hätte Berg niesen müssen vor lauter Staub. Unter dem Waldhorn fand er, inmitten von Tiegeln und Zangen, den Kristall des Antigrav-Geräts, gänzlich aus der Form zu Klump geschmolzen. Offenbar hatten sie ihn mit Säure traktiert. Natürlich! Er war viel zu schwer, verdächtig schwer für seine Größe. Berg schob ihn unter sein Hemd, ging zurück die Treppe hinunter, zog seine Schuhe an, verließ das Haus und schloß hinter sich die Tür. Der schwierigste Teil seiner Mission hatte sich als der leichteste herausgestellt.

Er konnte jetzt in Ruhe nachdenken. Immerhin, was bedeutete ihm das Mädchen? Warum ließ er sich auf etwas ein, das ihn nichts anging? Mitleid? Natürlich. Aber es waren viele auf dem Scheiterhaufen verbrannt worden, vor dem heutigen Tage wie danach. Ihr Schicksal erweckte Mitleid, gewiß – aber es war ein kaltes, abstraktes Mitleid. Und er hatte nicht einmal an das Mädchen gedacht, bevor er sie traf, obwohl er von ihr gewußt hatte. Also warum sich jetzt Sorgen machen?

Vom logischen Standpunkt aus gab es sie gar nicht, so wie dies ganze Jahrhundert nicht länger existierte, mit seinen Sorgen und Hoffnungen im Verschwinden begriffen war. Die Zukunft aber gab es sehr wohl, das Jahrhundert, aus dem er kam und das an seiner Handlungsweise Schaden nehmen konnte.

Doch in jener kalten Gasse schien die Zukunft nur eine weitere, kalte Abstraktion. Und das Mädchen, das ihm vertraute, war wirklich, das Mädchen, das er würde verraten müssen.

Berg schloß die Augen und verharrte einen Moment lang; er

seufzte vor Schmerz und Beklommenheit. Doch wer war schuld daran, daß das Bedürfnis, zu helfen und zu beschützen, wie ein Reflex in ihm hochstieg? Nun, eben jene Gesellschaft war schuld, in der er großgeworden war.

Eine armselige Rechtfertigung des Verstandes.

Doch wieso armselig? Und weshalb nur eine Rechtfertigung des Verstandes?

Wenn der Verstand bemüht ist, die Bahnen zukünftigen moralischen Handelns abzuschätzen, und sich allzu angestrengt auf einander widersprechende Vorstellungen konzentriert, so werden diese Vorstellungen selbst unklar – denn eine jede Vorstellung ist in ihren Ursprüngen so tief verwurzelt und dunkel, wie die lebendige Wirklichkeit, die sie erzeugt hat. Und der Verstand schwankt, die Entschlußkraft schwindet, und alles scheint wirr und falsch. So vermag das Denken mitunter die Entschlußkraft zu zerstören.

Berg schüttelte den Kopf. Das Gewicht des Kristalls vom Antigrav-Gerät erinnerte ihn an seine Prioritäten.

Man kann den Impuls eines Elektrons und seinen Ort im Raum nicht zur gleichen Zeit bestimmen. Und man kann nicht zu einem gegebenen Augenblick in der Zeit und an einen gegebenen Ort reisen. Doch ist die Auswahl fester Bestandteil des Lebens, und bejaht man das eine, so bedeutet das immer, daß etwas anderes verneint wird. Heißt das nicht, daß die Wurzeln der Moral aus dem gleichen Boden erwachsen wie die Wurzeln der Natur?

Bergs Verstand überschlug sich fast. Wieso mußte die Geschichte aufgrund seines Verhaltens schlechter dran sein? Wo stand das geschrieben? War seine Tat ehrenhaft und gut, sollte es genau andersherum sein. Wie sonst läßt es sich in der Gegenwart leben und handeln, ohne die Gewißheit, daß das Gute, das heute jemand tut, morgen Nutzen bringen wird? Wie kann man, ohne dies Wissen, leben und wirken? Wie kann man ohne es eine Zukunft aufbauen? Und wenn es aber so ist, dann ...

»Ich bin wieder da«, sagte Berg.

Mit einem unterdrückten Schrei lief sie auf ihn zu. Er hielt sie von sich.

»Wir haben nicht viel Zeit. Denk nach, ist hier irgendwo ein Haus, wo du . . . wo wir warten könnten?« Wo er sie auf den echten Berg warten lassen könnte – sofern er noch lebte.

»Nein, das weißt du doch!« Aus und vorbei – der Kompromiß hatte nicht funktioniert. »Du . . . du scheinst verändert, Liebling. Habe ich etwas falsch gemacht? Liegt es an mir?«

»Nein, nein.«

»Dann . . . ich habe nicht alles verstanden, was du über unsere Liebe gesagt hast, daß sie einzigartig wäre, daß es nie eine Liebe gegeben hätte wie die unsere, aber jetzt . . . du hast mich nicht einmal geküßt!«

Er erfüllte ihr den Wunsch. Und als er sie küßte, wurde ihm klar, daß er nie wieder aufhören mochte, daß er sie sein ganzes Leben lang küssen wollte, daß sie ihm von Anfang an nahe gewesen und alles andere Unsinn war, womit er sich vor seiner Liebe zu schützen versucht hatte, an die er nicht geglaubt, die ihn aber überwältigt hatte.

Und vor lauter Freude erkannte er die Lösung, so einfach und naheliegend! Der Chronoskaph würde sie beide aufnehmen! Das Mädchen mußte in der Vergangenheit sterben, und sie würde der Vergangenheit zuliebe sterben – um in der Zukunft zu leben.

Was war mit dem anderen Berg? Zum Teufel mit ihm, wenn er sie nicht retten konnte!

Er lachte.

»Worüber lachst du, Liebster?«

»Nichts. Es hat alles gestimmt. Unsere Liebe ist einzigartig, eine wie sie hat es nie zuvor gegeben. Wenn du die ganze Nacht hindurch gehen kannst, sind wir gerettet.«

»Es wäre nicht das erste Mal.«

»Aber . . .«

»Das Kleine stört uns nicht. Es macht mir überhaupt nichts aus. Man sieht mir noch nicht einmal etwas an, siehst du? Ich werde soweit laufen, wie du mir sagst, wenn du nur bei mir bleibst.«

Ihre Zuversicht hatte Berg angesteckt. Er nahm seinen geflochtenen Gürtel ab, warf eine Schlinge über die Mauer, deckte das Mädchen mit seinem Umhang zu, damit die Seile sie nicht verletzen konnten, schlang das Seil um sie, und eine halbe Stunde später waren sie frei.

Der Wald kam ihm nicht länger feindselig oder fremdartig vor, und Berg atmete tief. Das Mädchen ging, in seinen Umhang gehüllt, neben ihm her, und er stützte sie; er fühlte die Wärme ihrer Schultern und verspürte für sie eine schwindelerregende Zärtlichkeit. Die schwarzsilbernen Schatten des Laubes schienen ihn zu durchfließen. Oder er war es, der über den schwerelosen Teppich, der sich vor ihm ausbreitete, hinwegschwebte.

Im flackernden Schein des Mondes konnte Berg ihr Gesicht gut erkennen, aber ob sie schön war oder nicht, konnte er immer noch nicht sagen. Was machte es für einen Unterschied? Keinen. Genausowenig wie ihre Vergangenheit, die kleine Welt, der er sie entrissen hatte. Er wußte sogar, wie sie auf die Zukunft reagieren würde. So, als sei sie ein Märchen, ein Paradies, in das ihr Geliebter sie geführt hatte. Sie würde seine Welt mit demselben Mut und derselben Entschlossenheit annehmen, mit denen sie ihr Schicksal angenommen hatte, doch es würde ihm schwerfallen, sie zu überzeugen, daß sie noch lebendig und nicht im Himmel waren. Weshalb das alles so sein mußte, wußte er nicht, doch er war sich dessen sicher.

Plötzlich überfiel ihn Erschöpfung. Er hatte das Gefühl, als hielten ihn ihre Schatten beim Gehen zurück, als stellten sie ihm ein Bein. Er stolperte ein-, zweimal. Das machte ihm Angst. Natürlich, er mußte müde sein nach allem, was in dieser Nacht geschehen war; es war bloß noch Adrenalin, was ihn weitertrieb. Aber würde er auf halbem Wege zusammenbrechen?

Er zwang sich, den schlüpfrigen Schatten auszuweichen. Doch seine Beine fühlten sich an, als hätten sie die Verbindung zu seinem Körper verloren. Er spürte sie nicht einmal mehr. Aber das Kristall des Antigrav-Geräts zerrte seine

Arme nach unten. Außer seinen Beinen wurde alles an ihm schwer: sein Kopf, seine Arme, der Körper des Mädchens, das sich auf ihn stützte. Da mußte Berg an etwas denken, das ihn erschaudern ließ.

»Wie schwer bist du?« fragte er.

»Ich? Ich verstehe nicht.«

»Entschuldige, laß nur! Ich dachte bloß . . .«

Natürlich würde sie das nicht wissen, würde sie nicht verstehen, was er meinte. Es war lächerlich zu glauben, daß sich Mädchen im dreizehnten Jahrhundert auf Körperwaagen stellten, und Berg war seine Frage peinlich. Er kannte sein genaues Gewicht und hatte ihres geschätzt, als er sie über die Mauer hob; es bestand kein Zweifel, daß der Chronoskaph sie beide aufnehmen konnte. Jetzt nur nicht in Panik geraten, sagte sich Berg. Das fehlte noch!

»Komm, setzen wir uns!« sagte er, obwohl es noch längst nicht Zeit für eine Rast war.

Sie setzten sich, und die Art, wie sie sich langsam auf dem ausgebreiteten Umhang niederließ und geradeaus starrte, verriet Berg, daß all ihre Stärke nur simuliert gewesen war; sie war erschöpft, noch viel erschöpfter als er, aber würde eher sterben, als es zuzugeben. Beinahe hätte Berg laut aufgestöhnt, und plötzlich verspürte er eine Welle von Kraft – oder eher von wilder Entschlossenheit, die die Kraft ersetzte.

»Laß uns gehen!« sagte er, in dem Bewußtsein, daß eine lange Rast alles nur schlimmer machen würde. Keiner von ihnen würde es je allein schaffen, aber zusammen würde es gehen, da ein jeder Kraft vom anderen bezog.

Sie gingen weiter, einträchtig und schweigend, und die Nacht kam ihnen endlos vor, denn sie hatten sich verausgabt bis an die Grenze ihrer Kraft. Doch schließlich graute der Morgen. Das Morgengrauen verhieß die Sonne, und Berg faßte Mut, dachte sogar, daß sie sich dereinst voll Freude dieser Nacht erinnern würden.

Sie erreichten die Anhöhe, wo die Eiche noch immer ihre Blätter verlor. Es war möglich, dachte Berg, daß diese Eiche durch die Jahrhunderte hinweg überleben würde, und er wünschte, sie möchte aushalten, bis sie zurückkämen, um sich unter ihren uralten Ästen auszuruhen.

Das Gras glänzte silbern von Tautropfen. Sie waren nahe der Stelle, wo, als Fels getarnt, der Chronoskaph versteckt war. Sie erreichten den Waldrand, und Berg entschloß sich, ein letztes Mal Rast zu machen. Sie ließ sich zu Boden sinken, und fast fürchtete er, daß nach dem Kerker, dem Schrecken, der Flucht kein Leben mehr in ihrem Körper war, daß ihr Bewußtsein schlief, daß sie nichts mehr spürte. Doch sie bewegte sich und blickte zu ihm auf, und was sie in ihm sah, veranlaßte sie, sich aufzurichten und sich das Haar aus den Augen zu streichen. Und diese trotzige, eigensinnige Geste zeigte sie Berg so, wie sie jetzt – erschöpft, mit schwarzen Schatten im Gesicht, im stumpfen Gewand einer Nonne – nicht war, sondern so, wie sie in Wirklichkeit war; er sah sie plötzlich tanzen, in einem weißen Kleid. Er zitterte, so wirklich war die Vorstellung, ein anmutiges Mädchen in Weiß, im Wind tanzend wie eine Kerzenflamme. Ein fröhliches Mädchen, das sich vor nichts fürchtete, ein Kind des einundzwanzigsten Jahrhunderts. Nun, dachte er und versuchte, ruhiger zu atmen, ich schätze, so groß ist der Unterschied zwischen unseren Jahrhunderten doch nicht.

Ein fernes dumpfes Trappeln, das in der morgendlichen Stille laut wurde, riß ihn aus seinen Träumen. Er horchte auf, und sein Herz krampfte sich zusammen. Hufschlag! Auch sie hatte ihn vernommen, und aus der Art, wie sich ihr Körper straffte und ihr Gesicht noch blasser wurde, ersah er, daß ihr die Bedeutung des Geräusches klar war.

Er faßte sie an der Hand, und sie rannten, doch hatte sie keine Kraft mehr zu laufen.

»Ich kann nicht mehr. Rette dich!«

Er hob sie auf, gar nicht überrascht, daß er dazu imstande war.

Auf der Anhöhe hielten sie inne. Es handelte sich um zehn berittene Männer, und sie waren noch knapp einen Kilometer entfernt. Eine Meute von Hunden lief ihnen voraus.

Ein wenig Zeit blieb noch. Er lief, spürte nichts mehr außer dem brennenden Schmerz in seinen Lungen, sah nichts außer schwarzen Streifen, und konzentrierte sich voll darauf, inmitten der schwarzen Streifen den richtigen Busch und den richtigen Felsen zu finden.

Und sein Stolz regte sich, als er feststellte, daß ein Mensch des einundzwanzigsten Jahrhunderts auch ohne technische Hilfe das Unmögliche vollbringen konnte.

Das Feld, in dem er den Chronoskaphen versteckt hatte, erkannte er gerade noch wieder. Der Hufschlag näherte sich, doch waren die Reiter noch immer außer Sicht. Seine Lungen platzten fast. Den Körper des Mädchens spürte er nicht mehr – was er spürte, war vielmehr sein eigener Körper, träge, schwerfällig, widerwillig.

Der »Felsen« öffnete sich, als Berg ihn berührte. Die Hunde waren auf dem Feld, sie kläfften und fletschten die Zähne.

Berg hob das Mädchen auf den Sitz – er mußte erst den Griff ihrer Hände lösen, die um seinen Hals geschlungen waren – und stieg dann selber ein. Das Gebell blieb hinter der Tür zurück. Berg drückte den Startknopf.

Der Motor heulte auf und erstarb wieder. Ohne nachzudenken, riß Berg an dem Hebel für Rückwärtsbewegung. Der Chronoskaph machte einen Sprung – und stand.

In dem Kristall des Antigrav-Geräts lag zusätzliches Gewicht, das Berg vergessen hatte, in seine Berechnungen einzubeziehen!

Alles, was nun geschah, schien nicht er, sondern ein anderer zu tun. Berg warf den Kristall in den Schoß des Mädchens. Sie versuchte etwas zu sagen, oder herauszuschreien. Er stellte den Rückkehr-Autopiloten auf das einundzwanzigste Jahrhundert, drückte den Startknopf und ließ sich herausfallen, wobei er die Tür hinter sich schloß. Im Fallen sah er, wie der Chronoskaph entschwand.

Eine Zeitlang blieb er mit dem Gesicht am Boden liegen und fragte sich, wo die Hunde so lange blieben. In seinen Ohren hämmerte das Blut – wahrscheinlich hörte er deshalb ihr Gebell nicht.

Nein, es lag an etwas anderem. Er öffnete langsam die Augen. Was war das? Die Mittagssonne schien auf ihn herab, Vögel sangen, und es war Frühling, nicht Herbst.

So also war das! Er erhob sich, taumelnd wie ein Betrunkener. Sein methodischer Verstand ging noch einmal die Ereignisse durch. Aus lauter Eile, den Chronoskaphen anzulassen, hatte er ihn auf Rückwärtsfahrt geschaltet. Und einen Augenblick lang hatte die Maschine funktioniert und sie beide in der Zeit zurückversetzt. Und das bedeutete . . .

Und das bedeutete, daß es im dreizehnten Jahrhundert keinen anderen Berg gegeben hatte. Er war das gewesen. Der Chronoskaph hätte ihn unmöglich allzuweit in der Zeit zurücksenden können, also befand er sich jetzt in den Jahren unmittelbar vor seinem Eintritt in das dreizehnte Jahrhundert.

Berg betrachtete die strahlende Welt um sich herum, die nun seine Welt war. Er hatte den Antigrav-Kristall zurückgebracht, er hatte das Mädchen gerettet, ohne den Lauf der Geschichte zu verändern, aber er hatte auch sein eigenes Leben zugrunde gerichtet. Es war lächerlich zu hoffen, daß jemand imstande wäre, einen Chronoskaphen genau an die Stelle und in die Zeit zu schicken, wo er sich befand.

Nein, er kannte seine Zukunft im voraus. Er würde den Rest seines Lebens im dreizehnten Jahrhundert verbringen. Es würde sein Jahrhundert werden. Er würde darin leben, das Mädchen treffen, in das er sich verlieben würde (er liebte sie schon jetzt), den Zorn des Bischofs auf sich ziehen und ein paar Tage, bevor er selbst sie retten würde, sterben. Die bekannte Zeitschleife, in der, den Theorien zufolge, das »Nachher« dem »Vorher« vorausgeht. Kein Mensch hatte je das Grab gesehen, in dem man ihn beerdigen würde – doch Berg, der in seine Vergangenheit und seine Zukunft geschlüpft war, wußte, wie es auf dem bescheidenen Dorffriedhof aussah.

Es schien, als hätte er nicht lange zu leben.

Und doch hatte er sogar im Unglück noch Glück gehabt, denn sein Leben würde die Mühe wert sein. Er würde in den

Kampf ziehen und siegen. Er würde Zeit haben, zu lieben und geliebt zu werden. Zeit, jemandem Glück zu schenken, der es sich nie erträumt hatte. Zeit, Vater zu werden. Und vielleicht war das eine verdienstvolle Leistung für einen Mann, gleich welchen Zeitalters.

DIE ABSCHLUSSPRÜFUNG

Man schrieb das Jahr 2013 n. Chr., doch es hatte sich nicht viel verändert – vor einer Prüfung bekam man noch immer widerlich feuchte Hände, der Verstand raste, das Herz schlug einem bis zum Hals und die Zeit schmeckte wie weicher Radiergummi.

In dem Vorraum ging jemand nervös auf und ab. Ein anderer wiederholte, den Blick ins Nichts gerichtet, die Beweise für die Everson'sche Formel. Jemand blätterte hysterisch in einem Lehrbuch, ein Mädchen in einem himmelblauen Pullover hielt sich einen Spiegel an die Stirn – ein vergeblicher Versuch, sich den fiebernden Verstand zu kühlen.

»Man stelle sich vor, da erwarten sie heutzutage von einem, daß man in seinem Leben über hundert Prüfungen besteht!« sagte ein junger Mann, der neben Pawlow saß, und sah sich mit leicht vorquellenden Augen um. »Über hundert! Jawohl, jeder! Ich habe nachgezählt. In der Schule sind es siebenundvierzig . . .«

Die Umstände verhinderten, daß er seinen Satz zu Ende führen konnte. Die Tür (aus irgendeinem Grunde gehen die Türen zu Prüfungszimmern immer klammheimlich auf und so, als machten sie sich über einen lustig) öffnete sich geräuschlos. Es entstand ein aufgeregtes Durcheinander, und dann ein Gedränge vor dem Eingang. Manchem war das angenehm. Mitunter konnte man sich in dem Getümmel an den Aufsehern vorbeidrücken, die sicherstellen sollten, daß auch niemand zur Steigerung der Gehirntätigkeit Tabletten eingenommen hatte. Dies war streng verboten, aber in jeder Gruppe gab es immer den einen oder anderen, der versuchte, die Maschinen mit Hilfe einer neuen Präparatzusammensetzung hinters Licht zu führen. Ein sinnloses Unterfangen. Zwei verschämt lächelnde Missetäter wurden gleich zurückgeschickt, noch im Gehen nahmen sie ihre Antistimulantien ein. Sie waren doppelt gestraft. Zum einen verloren sie eine

Viertelstunde Zeit, während die Präparate einander neutralisierten, und zum anderen brachte das ganze Verfahren den Verstand ziemlich durcheinander. Vielen Leuten taten diese unglücklichen Nachkommen des ausgestorbenen Stammes der Abschreiber sogar leid.

Pawlow nahm am Fenster Platz. Und wie immer wurde ihm plötzlich klar, daß sein Verstand ein gänzlich leeres Blatt war.

Er versuchte, sich zu beruhigen. Immerhin war dies keine ungewöhnliche Prüfung. Es handelte sich um das ganz normale Abschlußexamen. Drei ganze Tage lang hatte er sich darauf vorbereitet. Und er liebte Galja zu sehr, um sie durch ein Versagen zu enttäuschen. Und wieso sollte er schlechter abschneiden als andere?

Er zog die bewegliche Computerkonsole zu sich heran und drückte entschlossen auf den Startknopf.

Ein schmaler Fragenkatalog glitt aus dem Schlitz. Anfänglich tanzten die Buchstaben so vor seinen Augen, daß er kein Wort verstand, nervös zu werden begann, die Liste erneut durchlas, sie sekundenlang wie taub anstarrte. Dann kam, breit und warm, eine Woge der Gelassenheit über ihn.

Die erste Frage war nicht schwer, obwohl die richtige Antwort Zeit in Anspruch nehmen würde. »Beschreiben Sie die negativen Aspekte der Projektion.«

Pawlow griff zu einem Stück Papier. Die Angst war von ihm gewichen, und er schrieb locker und schnell: »Sobald sich jemand unerwünschter und Unlust erzeugender Information gegenübersieht, kommen unbewußte Verdrängungs- und Sperrmechanismen ins Spiel, die in unterschiedlichem Maße wirkungsvoll sind. Einer davon ist die Projektion. Es handelt sich um den unbewußten Versuch, sich von einer unangenehmen Neigung zu befreien, indem man sie einem anderen oder einer Gruppe von anderen unterstellt. Einige aus der Vergangenheit bekannte Erscheinungen, wie Prüderie, sind beispielsweise zu einem Großteil durch Projektion erklärbar. Ein Mensch mit übersteigerten sexuellen Gefühlen ist sich sicher, daß in seiner Umgebung jeder nur an das Sexuelle denkt. Er unterstellt seine eigene anormale Reaktion auf diesen Lebensbereich den anderen. Dies ist auch der Grund, weshalb deren Verhalten ihm dann so ungehörig, so schmutzig erscheint, und er in seinen Augen rein und standhaft bleibt. Dieser unbewußte psychologische Ablauf, der vom Verstand nicht gesteuert wird, zielt auf die Erhaltung der Selbstachtung ab. Würde dem Menschen aus dem Beispiel die Wahrheit bewußt, ginge sein Selbstwertgefühl verloren. Ein solcher Erhalt des Egos fordert jedoch einen hohen Preis. Der Mensch hört auf, eine vollständige Persönlichkeit zu sein, seine Verstandesfunktionen sind getrübt, Glück ist für ihn nicht erreichbar. Ein solcher Mensch kann in gewissen Situationen für die Gesellschaft eine Bedrohung darstellen.

Verfahren zur Kontrolle und Behandlung bestehen ...«

Pawlow schrieb die Seite zu Ende und lehnte sich in dem Stuhl zurück. Das sah ganz ordentlich aus. Natürlich könnte es nicht schaden, noch ein paar Beispiele einzustreuen, aber so wichtig war das nun auch nicht.

Er wartete eine halbe Sekunde lang und schob die Seite dann in den Schlitz. Der Rechner benotete seine Arbeit sofort, und auf dem Schirm leuchtete ein »befriedigend« auf.

Die zweite Frage war kinderleicht. Die Formel für die Selbstachtung. Ohne eine Sekunde lang nachzudenken, schrieb Pawlow:

$$\text{Selbstachtung} = \frac{\text{Erfolg}}{\text{Anforderungen}}$$

Und da ging das rote Licht an. Dumpf starrte Pawlow auf das Signal. Nicht bestanden ... nicht bestanden ... nicht bestanden ...

Verflucht, er hatte den sozialen Einflußkoeffizienten ausgelassen! Pawlow blinzelte die Maschine an und fügte dann ohne Hast die Korrektur ein. Da, gib Ruhe!

Statt des feindseligen roten Lichtes erschien ein grünes. Alles um ihn herum wurde freundlich, war voller Leben, und Pawlow konnte Keuchen hören, das Rascheln von Papier, nervös scharrende Füße. Der Prüfungsraum, so stellte sich heraus, war voll von Geräuschen.

Dann aber begann Pawlow, sich zu konzentrieren. Zwei Fragen hatte er noch vor sich. Über die letzte mochte er gar nicht erst nachdenken, so ungeheuerlich sah sie aus. Und auch die nächste war nicht eben leicht. »Geben Sie den mathematischen Ausdruck für die Umkehrung des Verstand/Instinktverhältnisses an.« Damit jedoch, so war Pawlow sich sicher, würde er wohl fertig.

Unwillig ergriff er seinen Stift und schrieb die erste Zeile der Filipow'schen Gleichung hin, und in seiner Umgebung wurde es wieder still, so als werde langsam die Luft aus dem Prüfungsraum gepumpt.

Langsam aber sicher befiel ihn Unsicherheit. Irgend etwas mit den Integralen machte er falsch. Es handelte sich um etwas, das er eher spürte als sicher wußte. Die Beziehung war unausgeglichen. Sie hatte unausgeglichen zu sein. Aber so stark? Pawlow schwankte. Er vermochte sich nicht zu erinnern, wie sie im Lehrbuch ausgesehen hatte.

Er fuhr sich über die Stirn und ging das, was er geschrieben hatte, noch einmal durch. Und je mehr er nachprüfte, desto konfuser wurde er. Er fing an, die einfachsten Dinge anzuzweifeln. Das einfachste mathematische Näherungsverfahren für Integrale kam ihm verdächtig vor, und er brauchte fünf Minuten für einen Identitätsbeweis, den jeder Schuljunge im Vorbeigehen erledigt hätte.

Und dann knüllte er zornig sein Blatt zusammen, wiederholte die Berechnungen und schob sie ungeprüft in die Maschine.

Das rote Licht leuchtete auf.

Erst da bemerkte Pawlow, wie müde er war. Die letzte Frage würde er nicht beantworten können. Nicht bestanden, hieß das. Na und? Zum Teufel damit!

Er sah sich um. Gebeugte Köpfe, gebeugte Rücken, teilnahmslose Hälse. Er war allein unter den Einsamen.

Natürlich würde Galja ihn trösten. Sie würde ihn an die Wiederholungsprüfungen erinnern, an die Tatsache, daß sie noch jung waren und warten konnten. Natürlich konnten sie das. Aber das Gefühl der Beklommenheit würde bleiben. Und nachts würde sie heimlich weinen, das wußte er.

Zum Teufel mit der Psychologie! Vorherige Generationen waren ohne sie ausgekommen, ohne diese Sonderprüfungen, und nichts war geschehen. Sie hatten gelebt, gearbeitet, Kinder großgezogen. Jawohl, sie waren zurechtgekommen. Und überhaupt, nieder mit dieser ganzen Erziehung! Möchten doch die Ahnungslosen gedeihen! Das war ein beruhigender Gedanke.

Und doch hatte Galja diese Prüfungen bestanden.

Er las sich die vierte Frage durch. »Gegeben sind die Matrizen sieben verschiedener Handlungen. Bestimmen Sie den Grad der Angepaßtheit dieser Persönlichkeit. Alter: 17 Jahre.«

Der erste Schritt lag auf der Hand. Er hatte den Rechner ja vor sich. Es galt, die Matrizen zu verschlüsseln und die Ebene zu bestimmen, auf der die Handlungen zueinander in Wechselbeziehung standen. Den durchschnittlichen, für das Alter kennzeichnenden Anpassungskoeffizienten einzugeben. Siebzehn. Eine wundervolle Zeit, da auf dem Feuer der Ungeduld das Verlangen nach Heldentaten und Auflehnung brodelte. Da konnte er die Transformationen von Krochek einsetzen, bis jetzt lief alles reibungslos. Er brauchte die erhaltenen Zahlen lediglich durch die Komponenten zu dividieren. Eine davon wäre die Konformität – Anpassung an eine anerkannte oder geforderte Norm. Da versuche man doch einmal, einem Heranwachsenden zu sagen, er sei angepaßt. Ha! Einen Tiger in den Schnurrbart zu kneifen war ungefährlicher. Und dennoch – wer ließ sich am meisten von Flausen und der Mode beeinflussen? Wer war am leichtesten in einen tobenden Haufen Pöbel zu verwandeln? Die Heranwachsenden.

Pawlow warf einen Blick auf seine Armbanduhr. Und begann sich zu beeilen. Es war so gut wie vorbei. Er war sogar froh darüber. Sobald es zwölf schlug, hing nichts mehr von einem selbst ab. Bestanden oder nicht, man war erlöst von der Verantwortung, von dem Zwang, sich abzumühen, den Verstand zu zermartern.

Die Freiheit der Niederlage.

Pawlow spürte, wie ihn jemand ansah. Es war der Knabe, der sich über die Prüfungen ausgelassen hatte. Er lächelte mitfühlend. »Kommst nicht weiter, was?« Er war offensichtlich fertig und ruhte sich aus, beobachtete die anderen mit übereinandergeschlagenen Armen.

Pawlow warf ihm einen niederträchtigen Blick zu und faßte seinen Stift so fest, daß die Knöchel weiß hervortraten.

Der Stift sprintete los wie ein Hundertmeterläufer. Ohne die Probe gemacht zu haben, steckte er das Papier in den Schlitz, und als er das gelbe Signal sah, stieß er die Luft aus und machte sich mit einer Wildheit, die ihn verblüffte, erneut über die verfluchte dritte Frage her, wobei er das Blut in den Schläfen pochen fühlte.

Er wiederholte seine Berechnungen und warf die Antwort so schnell ein, daß es schien, als versuche er, sich der Blamage zu entledigen.

Genau das tat er ja im Grunde auch.

Dem Signal blieb keine Zeit aufzuleuchten, denn es war um einen Sekundenbruchteil nach Mittag. In dem riesigen Hörsaal erhob sich ein Seufzen, Bewegung kam auf und Gespräche wurden laut. Pawlow war am Boden zerstört. Er sah auf die Anzeigetafel, wo die Namen derer aufleuchteten, die bestanden hatten. Im Saal entstand ein Tumult.

Unbeholfen strebte Pawlow in Richtung Tür, bemüht, kein Aufsehen zu erregen. Er war bestrebt, nichts zu hören und zu sehen. Weder die triumphierenden Rufe, noch das Geflüster, noch die Küsse, die die Mädchen austauschten, als auf der Tafel mehr und mehr Namen aufleuchteten. Ihn betraf das nicht länger. Selbst wenn er die dritte Frage richtig angepackt hatte – der Rechner hatte die Antwort, wie es schien, nicht zur Kenntnis genommen, und seine sonstigen Ergebnisse stimmten ihn nicht eben hoffnungsvoll. Um eine ausgelassene Frage auszugleichen, brauchte man zweimal Grün, und die hatte er nicht.

Er ging den Flur hinunter, stellte sich ans Fenster und führte ein kurzes Selbstgespräch – und erst, als alle anderen gegangen waren, kehrte er in den Hörsaal zurück. Er wollte keine Zeugen für sein Versagen, das, wie er sich schließlich eingestand, weit mehr als eine bloße Unannehmlichkeit bedeutete.

Der Name »Pawlow« sprang ihm schon beim Eintreten ins Auge. Ein paar Sekunden lang starrte er auf die Tafel, und da hellte sich draußen das Wetter auf, und die Vögel begannen zu zwitschern, und sein Kopf war so leicht wie Luft.

Die Maschine hatte es rechtzeitig registriert! Und die Antwort hatte gestimmt! Ein trunkenes Lächeln erschien auf seinem Gesicht. Er hatte bestanden, er hatte tatsächlich bestanden!

Das trunkene Lächeln noch auf dem Gesicht, trat er hinein vor den Ausschuß. Doch dem Vorsitzenden rang sein Gesichtsausdruck keine Regung ab – er hatte Schlimmeres gesehen.

»Ich freue mich für Sie, junger Mann«, sagte er, wobei er sich erhob, um Pawlow die Hand zu geben. »Sie haben die erforderlichen Prüfungen abgelegt und damit nun das Recht, Kinder zu haben und aufzuziehen.« Die Stimme des Vorsitzenden wurde lauter. »Die Gesellschaft gestattet Ihnen dies deshalb, weil sie der Meinung ist, daß Sie für die schwierigste und verantwortungsvollste Aufgabe auf diesem Planeten genügend reif und gerüstet sind. Doch gezeigt haben Sie lediglich, daß Sie auf zukünftige Verantwortung vorbereitet sind, und haben Ihre Fähigkeiten erst noch unter Beweis zu stellen. Zu viel hängt heutzutage davon ab, daß aus all unseren Kindern echte Menschen werden.«

»Ich verstehe«, flüsterte Pawlow. »Ich werde mein Bestes tun. Ich danke Ihnen.«

Noch immer strömte durch die Fenster dies ungewöhnlich helle und festliche Licht.

DER MANN, DER DABEI WAR

An jenem Abend trafen wir uns, wie üblich, zu fünft bei Valeri Granatow. Der Gewitzteste vergrub sich im Lehnstuhl des Gastgebers, die übrigen gaben sich mit gewöhnlichen Stühlen zufrieden, und die Arbeit begann.

Wir trafen uns oft, um gemeinsam Abenteuergeschichten zu verfassen. Dieses Verfahren – in der Wissenschaft so verbreitet und so selten in der Literatur – war anfänglich für uns bloß etwas Neues, etwas, das sowohl uns als auch unsere Leser zu amüsieren vermochte, aber dann trat allmählich eine Veränderung ein. Unsere Talente, Kenntnisse und Neigungen verschmolzen so ganz und gar miteinander, daß eine selbständige Persönlichkeit entstand, die uns teilweise glich, teilweise jedoch vollkommen fremd war. Voll Erstaunen stellten wir fest, daß sie im Begriff war, Macht über uns zu gewinnen. Sie wünschte nicht, auf das Geschichtenschreiben beschränkt zu bleiben; sie wollte Größeres, Besseres, und verlangte unsererseits vollkommene Selbstverleugnung. In dieser neuen Persönlichkeit mußten wir entweder untergehen, oder wir mußten uns trennen, und beides wollten wir nicht. Für einen vergnüglichen Freizeitspaß sein Taschengeld zu opfern ist eine Sache, um der Taube auf dem Dach willen sein gesamtes Vermögen einzusetzen, eine andere. Das Pendel schlug einmal in diese, einmal in jene Richtung aus, und in dieser Nacht konnte sich alles entscheiden.

Wir waren also miserabler Stimmung. Im Vorbeigehen muß ich erwähnen, daß uns bei der Arbeit an unseren Handlungsfäden am gedanklichen Ablauf eine interessante Eigenschaft aufgefallen war. Verstandesmäßig gerieten wir fünf, wie es schien, schnell auf eine Wellenlänge. Wir entwickelten die Szenen schnell und anschaulich, ohne allzu deutlich werden zu müssen; jeder beflügelte des anderen Phantasie; die Einfälle gingen mühelos von Hand zu Hand und gewannen auf ihrem Weg an Gehalt. In solchen Augenblicken waren wir glücklich – auf diese besondere, seltene Art, die geistige Zusammenarbeit entstehen läßt.

Und dann löste alles sich auf. Wir wurden wie taub. Eine Kleinigkeit, die binnen Sekunden hätte geklärt werden sollen, erforderte einen ungeheuren Kraftaufwand. Es schien, als ersticke jeder an des anderen Gedanken. Und brachte uns die anfängliche Wellenlänge auch etwas Besonderes, nun, so war die zweite Phase umso bedrückender.

Leider setzte in jener Nacht die Arbeit in dieser zweiten Phase ein. Unsere Phantasie ermattete, wir redeten leer daher, und das Ganze war so unerträglich wie eine Beerdigung. Ich starrte in das grelle Licht der Tischlampe und sagte mir, daß es wohl Tausende schlichter Vergnügungen gab – also warum leiden für etwas, das von so kurzer Dauer und vielleicht gar nicht zu erreichen war? Ich hatte den Verdacht, daß wir alle so dachten.

»Wie, wenn unser Held nun anfangen würde . . .« Nach einer langen und entmutigenden Pause kam Valeri mit einem hoffnungslosen Einfall.

Doch er wurde von einem Klingeln an der Tür unterbrochen.

Er schlurfte auf Hausschuhen hinaus. Als er zurückkehrte, ging vor ihm ein Mann, der einen Aktenkoffer trug und früher einmal rothaarig gewesen war. Der Mann warf einen kurzen Blick in die Runde und setzte sich. Mir blieb keine Zeit, um über seinen Besuch überrascht zu sein, denn noch im Türrahmen hatte Valeri mit zitternder Stimme gesagt:

»Also Leute, einmal angenommen . . .«

Und was er sagte, war so fabelhaft, daß wir alles andere vergaßen und vor Begeisterung fast gelähmt waren.

Und es lief. Alles, woran ich mich in dieser Nacht erinnern kann, ist ein allgemeiner Eindruck intensiven Glücks, als bestiegen wir einen Berg und jeder Schritt eröffnete eine neue, atemberaubende Aussicht. Wir schrieben nicht länger an einer Geschichte; wir durchschauten ein Leben ganz und gar, drangen ein in die geheime Gedankenwelt von Leuten, die plötzlich auf mysteriöse Art auftauchten, wir waren voll Bewunderung und Empörung angesichts plötzlicher Veränderungen in ihrem Verhalten, und brauchten alles nur noch aufzuschreiben. Es war nicht mehr klar, was nun wirklicher war – das verräucherte Zimmer, in dem wir saßen, oder die Welt, die da in unserer Phantasie lebendig wurde.

Und es gab mich nicht mehr, es gab uns nicht mehr. Es gab nur diese gemeinsame Person, in der wir alle aufgegangen waren, die hinausgewachsen war über all das und eine besondere, nie dagewesene Seherkraft besaß. Weder vorher noch nachher ist mir je etwas Vergleichbares widerfahren. Es erklärte das Leben besser als jedes Lehrbuch; wir verstanden alles, wußten alles und vermochten alles zu tun, wie Götter.

Nur in den seltenen Augenblicken der Entspannung, da die Wirklichkeit dieses Zimmers ganz leicht in unser Bewußtsein drang, fiel mir der Fremde wieder ein, und einen Sekundenbruchteil lang blickte ich ihn an. Er saß zur Seite gewandt, blinzelte und rieb sich die Hände, wie vor einem offenen Feuer. »Gut, gut«, murmelte er. Ich hatte nicht die Zeit, ihn gründlich zu beobachten, doch rief er in mir ein Gefühl hervor, das vertraute Gegenstände des Haushalts einem vermitteln – ein Gefühl der Behaglichkeit, Verläßlichkeit und Unverzichtbarkeit. Und ich hatte genügend Zeit, erstaunt zu sein. Normalerweise beeinträchtigt ein Außenseiter jede intensive geistige Arbeit, aber seine Anwesenheit störte nicht.

Alles, was wir in jener Nacht zustande brachten, war gut. Wir fragten uns nicht, ob wir unsere Handlung richtig entwickelten – wir wußten, daß es gar nicht anders ging. Wir suchten nicht nach Worten, um zu beschreiben – sie kamen von allein, die einzig richtigen, sie erwuchsen von innen heraus.

Als wir geendet hatten, war es vier Uhr früh. Wir wußten, daß wir alles getan hatten, daß nichts zu tun übrig blieb, und daß alles, was dem Werk Wahrhaftigkeit und Tiefe verlieh, schon auf dem Papier stand.

Ohne das Bedürfnis zu sprechen, sahen wir einander an.

Wir fühlten uns auf angenehme Weise ausgelaugt. Der Mann mit dem Aktenkoffer war nicht mehr im Raum; er hatte sich still entfernt. Ohne weiter an ihn zu denken, zogen wir unsere Mäntel an.

Unser Gastgeber begleitete uns, indem er sich einen Mantel mit schmalem Samtkragen überwarf. In dem quietschenden Aufzug fragte ich ihn:

»Valeri, dein Freund, der den Abend mit uns verbracht hat, wer war das?«

Valeri blickte erstaunt drein.

»Mein Freund? Den habe ich zum ersten Mal gesehen. Er sagte, er wollte zu einem von euch.«

Wir sahen einander an. Keiner von uns hatte ihn je zuvor gesehen.

»Was geht hier vor?« fragte Valeri besorgt. »Verrückt ist das!«

»Du hast ihn doch hereingelassen«, erwiderten wir im Chor.

Valeris Augen überschatteten sich, während er sich zu erinnern bemüht war.

»Ja ... hereingelassen habe ich ihn.«

»Ohne ihn irgend etwas zu fragen?«

»Er sagte: ›Guten Abend.‹ Ich wollte ihn fragen, aber dann kam mir die Idee für die Geschichte, und ich habe ihn einfach hereingelassen. Und dann hatte ich keine Zeit mehr für ihn.«

»Also gut«, sagte ich und unterdrückte ein Gähnen. »Hat jemand eine Erklärung?« Wir befanden uns in der Eingangshalle, wo Türen zu einem Milchgeschäft und einem Fischladen abgingen, und es roch gleichzeitig nach Milch und nach Fisch.

Eine Erklärung hatte niemand. Man geht nicht einfach zu Fremden hinein. Man geht nicht einfach hin und verbringt die halbe Nacht mit Fremden. So weit etwa kamen wir.

Das Eigenartigste aber war, daß uns das Geheimnis nicht allzusehr besorgt machte. Wir waren nicht in der Stimmung dazu.

»Da beschreiben wir Abenteuer und sind schließlich mitten in einem drin«, witzelte jemand schwach.

Wir unterhielten uns noch ein wenig darüber und trennten uns dann, mit einem erschöpften und verwirrten Lächeln.

Viele Monate, in denen das Rätsel sich in keiner Weise löste, vergingen, und dann prallte ich am hellichten Tag auf unseren Fremden.

Seltsam, doch ich erkannte ihn sofort, obwohl er eine alte Schaffelljacke trug, in der er noch untersetzter wirkte. Vor dieser Begegnung wäre ich nicht sicher gewesen, ob ich ihn noch erkennen würde, selbst in dem zweireihigen Anzug, den er an jenem Abend getragen hatte.

»Hallo, Sie! Ich wollte Sie etwas fragen«, sagte ich und ging zielbewußt auf ihn zu, denn seine Augen hatten meine letzten Zweifel zerstreut.

Er musterte mich sanft von Kopf bis Fuß, und die Hand, die den Aktenkoffer hielt, zuckte, als wolle er sich dahinter verstecken.

»Hallo!« sagte er mit einer Fistelstimme. »Was macht eure Geschichte?«

»Ganz prima«, sagte ich, ohne zu übertreiben. »Entschuldigen Sie meine Neugier, aber wer sind Sie?«

»Ich habe einen langweiligen Namen. Fedjaschkin. Pjotr Petrowitsch.«

Der Name paßte zu seinem Gesicht. Seine Wimpern und Brauen waren verblichen und gelblich, seine Wangen alt und schlaff, und seine Nase dick.

»Sie werden noch mehr Fragen stellen«, sagte Fedjaschkin traurig, den Blick abgewandt. »Vielleicht sollten Sie das nicht. Das Wichtigste ist, daß es mit der Geschichte vorangeht.«

Er sah sich sogar nach einer Möglichkeit um, in der Menge unterzutauchen. Doch es gab keinen Fluchtweg. Ich hatte ihn mit dem Rücken zur Wand.

»Entschuldigen Sie, Pjotr Petrowitsch, aber Sie werden verstehen, warum mich das interessiert. An meiner Stelle würden Sie mich auch fragen.«

»Ich weiß. Aber es gibt nichts, was ich erklären könnte.«

»Sie wollen nicht?«

»Ich *kann* nicht, wirklich nicht. Hat meine Anwesenheit Sie gestört? Warum wollen Sie dann sonst noch etwas wissen?«

Wir alle lieben Geheimnisse in Büchern und haben sie im Leben gar nicht gern. Ich bin da keine Ausnahme. Schließlich ist der Grund dafür, daß wir Geheimnisse in Büchern so mögen, der, daß sie auf den letzten Seiten aufgelöst werden.

»Nein«, sagte ich fest, obwohl ich begriff, wie lächerlich diese Situation war. »Sie müssen das erklären.«

Sein rundlicher Körper schrumpfte zusammen, und Falten zeigten sich in der Lammfelljacke.

»Sie werden mir nicht glauben.« Er sah sich unglücklich um.

»Ich höre.«

»Sie selbst haben mich gerufen.«

»Wir?«

»Ihre Gedanken.«

Ich erschauderte. Sein Mund war zu einem mitleiderregenden und doch triumphierenden Grinsen verzogen.

»Sehen Sie, ich habe Sie gewarnt! Sie müssen es nicht wissen.«

Also schön. Fedjaschkin war nicht ganz richtig im Kopf.

Ich nahm mich zusammen und sagte gelassen: »Reden Sie weiter!«

Nein, er wollte nicht weitersprechen, jetzt, da er dachte, ich würde ihn gehen lassen. Aber im Gegenteil. Aus irgendeinem Grund war ich bereit, ihn beim Schlafittchen zu packen und so lange zu schütteln, bis der Rest seines Geständnisses heraus war. Im Geiste war ich sogar kurz davor. Er zuckte zusammen, als hätte er meine Gedanken gelesen.

»Nicht!« rief er. »Davon friert einem nur. Nun gut, ich werde es Ihnen sagen, und dann lassen Sie mich gehen, in Ordnung? Sie gehen mit Ihrem Verstand sehr leichtfertig um, junger Mann.«

»Also schön, Sie sind Gedankenleser. Weiter!«

»Nein! Ich kann keine Gedanken lesen. Aber ich spüre sie,

wenn sie ... Sehen Sie, ich bin nicht sehr gebildet. Aber wenn jemand denkt, dann ändert sich das ... Kräftefeld in seinem Gehirn, er sendet Gehirnwellen aus. Und wenn der Verstand vor schöpferischen Einfällen nur so lodert, dann gibt er ... ah ... Wärme ab. Es ist so schön warm! Ich meine, ich nehme das kaum wahr, es ist bloß so ein Hintergrund ... Aber wenn es wirklich zu brennen anfängt, so wie bei Ihnen damals, dann zieht mich das an.«

»Das ist ja alles sehr interessant«, unterbrach ich ihn. »Und auch sehr wissenschaftlich. Aber Sie widersprechen sich doch sehr.«

»Wie meinen Sie das? Unmöglich!«

»Keineswegs. Als Sie kamen, da leuchteten unsere Gedanken nur ganz schwach, sie brannten keineswegs. Stimmt's?«

Fedjaschkin war beschämt. Ich fing schon an, wie dieser kleine Wirrkopf zu reden. Er war nicht nur harmlos, sondern es war auch ganz rührend, was er sich so ausdachte. Aber weshalb hatte er uns aufgesucht?

»Da ist kein Widerspruch«, sagte er unsicher. »Bitte glauben Sie nicht, daß ich mich wichtig machen will.«

»Wie meinen Sie das?«

»Was sehen Sie um uns herum?«

Er vollführte eine schwache Bewegung mit dem Arm. Ich folgte seiner Geste. Menschen gingen angespannt ihrer Arbeit und ihren Besorgungen nach, Verkehr schlängelte sich durch die Straßen, auf den Gesimsen und Dachfirsten stolzierten Tauben einher, und ein Oberleitungsbus bog jaulend und quietschend in die Hauptstraße ein.

»Also um all das hier herum liegt eine Wolke von Gedanken«, eröffnete mir Fedjaschkin, wobei er verschwörerisch die Stimme senkte. »Aber Brennpunkte, die das Zustandekommen von etwas Neuem kennzeichnen, gibt es nur noch ganz wenige. Deshalb ist auch jedes einzelne Flämmchen so wertvoll. Und ich habe die Fähigkeit – aber denken Sie jetzt bitte nicht, ich wollte mich wichtig machen. Meine Gegenwart schürt das Feuer. Ist Ihnen das nicht von selbst aufgefallen? – Nein, nein!« rief er abwehrend. »Ich bin ein Nichts, bloß ein pensionierter Buchhalter, aber ich habe diese Fähigkeit, das Denken anderer zu unterstützen. Deshalb kam ich zu Ihnen. Ich gehe zu vielen. Es soll eben so sein. Es ist besser für Sie und gut für mich, für die Welt. Sie glauben mir nicht?«

Natürlich nicht. Nicht ein bißchen. Aber in meinem festgefügten Zweifel war ein winziger Riß: seine Worte mochten erklären, was in jener Nacht geschehen war.

»Also gut«, sagte ich. »Beweisen Sie es mir!«

»Weshalb?« sagte er bitter. »Sie glauben es sowieso nicht.«

»Doch«, sagte ich trotzig und glaubte, unlogischerweise, daß ich ihm glauben würde.

»Gehen wir!« sagte Fedjaschkin.

Ich war zu verblüfft, um etwas zu entgegnen. Wir bogen ab in eine Gasse, dann in eine andere und wieder eine andere. Fedjaschkin ging gemächlich, aber mit großem Selbstvertrauen, und sein Gesicht wirkte, als hörte er in der Ferne Musik.

»Wo gehen wir eigentlich hin?« fragte ich schließlich.

»Lassen Sie mich in Ruhe!« sagte Fedjaschkin unwirsch.

Dann war er plötzlich von Kopf bis Fuß die Zerknirschung selbst.

»Verzeihen Sie. Ich weiß selbst nicht – irgendwo hier in der Nähe. Wir hätten natürlich kurz ins Institut gehen können, aber da braucht man einen Passierschein. Aber wir sind gleich da.«

Ich machte nur eine Handbewegung und versuchte herauszubekommen, wie ich wohl in dieses Abenteuer verwickelt worden war.

Wir gingen jetzt durch Hinterhöfe und Seitengassen, und dann eine Treppe hinauf – eine ganz gewöhnliche, auf der vor den Schächten der Müllverbrennungsanlage Papierfetzen herumlagen.

Vor einer Tür im sechsten Stock hielt Fedjaschkin inne.

»Wir sind da.«

Er war sichtlich nervös; seine Lippen waren blaß, und wie eine Schildkröte versuchte er, den Kopf zwischen die Schultern zu ziehen.

Die Türglocke klingelte zaghaft.

Ein mürrischer Bursche in einem Sportsakko öffnete.
»Wen wünschen Sie zu sprechen?« fragte er teilnahmslos.
Ich blickte Fedjaschkin an. Er war bemitleidenswert.
»Wir würden gern . . .«, murmelte er. »Wir sind von . . .
Sie arbeiten gerade, nicht wahr?«
»Ja«, bestätigte der Bursche.
Und da veränderte irgend etwas seinen Gesichtsausdruck.
Er war vollkommen in Gedanken versunken, so wie Valeri
Granatow in der Nacht, da er die Tür geöffnet hatte und
zurückkam.
»Also schön, das können Sie mir später erklären«, murmel-
te er ungeduldig, und ich hätte schwören können, daß er uns
nicht länger wahrnahm und nicht einen Gedanken mehr an
uns verschwendete. Das Ganze war sehr eigenartig.
Er wartete nicht einmal, bis wir abgelegt hatten, sondern
verschwand durch die Tür, hinter der gerufen und gelacht
und dann plötzlich ganz konzentriert geschwiegen wurde.
Und als wir eintraten, sahen wir drei Männer über einen
Tisch mit Entwürfen gebeugt. Auch auf dem Fußboden lagen
Entwürfe herum.
Die nächste Stunde war die phantastischste, die ich je
erlebt habe. Fedjaschkin und ich saßen still in einer Ecke, und
die Männer arbeiteten, ohne sich um uns zu kümmern, wie
in einem mühsam gebändigten Rausch. Ich rauchte nervös,
in der Erwartung, daß wir jeden Augenblick im hohen Bogen
hinausgeworfen würden. Doch sie hatten keine Zeit für uns,
und ich glaube, sogar Napoleon hätte hereinkommen können, ohne bei ihnen eine Reaktion hervorzurufen. Sie warfen
sich knappe Ausdrücke aus der Radioelektronik zu, disku-
tierten manchmal, aber zumeist schrieben sie schweigend,
und nichts in ihrem Verhalten verriet Einwirkung von außen,
eher intensive Konzentration. Fedjaschkin saß still und ent-
zückt da, er glühte vor Wohlbehagen; er liebte diese Männer
und hatte mich vergessen.
Dann berührte er meinen Ellbogen.
»Gehen wir – sie sind so gut wie fertig.«
»Was tun sie?« flüsterte ich.

»Woher soll ich das wissen?« flüsterte Fedjaschkin zurück. »Sie erfinden irgend etwas. Gehen wir, bitte!«

In völliger Verwirrung hastete ich die Treppen hinunter.

»Alles lief wie am Schnürchen«, sagte Fedjaschkin und stolperte die Stufen hinab. »Oh, sie haben heute etwas Wunderbares vollbracht. Wie wundervoll, daß sie uns eingelassen haben. Wissen Sie, die Leute lassen mich manchmal nicht herein. Ich scheine, das muß ich zugeben, sehr selten sofort Wirkung zu haben.«

Ich hörte seinem Gemurmel nicht wirklich zu, denn ich versuchte, Sinn und Ordnung in meine Gedanken zu bringen. Zu einem gewissen Grade gelang mir das. Es ist eine absolute Notwendigkeit, so zu handeln – ein Abwehrmechanismus. Wir nehmen ein Wunder wahr – und erklären es mit Hilfe von Dingen, die wir verstehen, um uns eine geistige Überanstrengung zu ersparen. Dann werden wir, indem wir uns daran gewöhnen, immer kühner.

Der Ablauf meiner Gedanken war, während ich Fedjaschkin folgte, etwa dieser:

Fedjaschkin ist kein Spinner. Seine Gegenwart regt, so scheint es, tatsächlich die schöpferischen Fähigkeiten an. Also schön. Und weiter? Für Millionen von Leuten ist dies etwas, das man einen Beruf nennt. Lehrer erzeugen selbst nichts von stofflichem oder intellektuellem Wert. Sie leiten Wissen weiter und regen, was am allerwichtigsten ist, das geistige und sittliche Wachstum der Kinder an – richtige Lehrer, natürlich. Darin liegt die große Bedeutung ihres Berufs, daß sie ihre Gedanken und Handlungen derart verbreiten, indem sie das Leben eines anderen gleichsam mit einem goldenen Faden durchwirken und dann unerkannt in den Entdeckungen und Errungenschaften der Zukunft lebendig werden – ein Beruf, der für die Gesellschaft von größter Bedeutung ist. Und sind Lehrer die einzigen, die das tun? Wie die Atome des Körpers nach dem Tode nicht sterben, sondern in einen erneuten Kreislauf eintreten, so bestehen geistige Strömungen, von anderen übertragen, auf ewig fort, bewegen sich unsichtbar von Generation zu Generation.

Aber das ist nicht alles. In der anorganischen Chemie arbeiten Katalysatoren – geheimnisvolle Verbindungen, die nicht in die Reaktion eingehen, ihr jedoch Kraft und Energie verleihen. In organischen Abläufen wirken Enzyme als Katalysatoren. Warum sollte es für geistige Erscheinungen keine Katalysatoren oder Enzyme geben? Warum nicht? wiederholte ich, wie ein Papagei, immer wieder, während ich dumpf auf Fedjaschkins Rücken starrte.

Ein neuer Gedanke ließ mich meinen Schritt beschleunigen.

»Hören Sie!« sagte ich und ergriff Fedjaschkins Arm. »Wenn Sie die geistigen Abläufe anderer ... ah ... anregen, warum habe ich das dann nicht gleich gespürt, als ich Sie auf der Straße traf? Oder haben Sie keine Wirkung auf Einzelpersonen?«

Er entwand seinen Arm – im allgemeinen kennzeichnete große Fügsamkeit all seine Handlungen – nicht meinem Griff. Er antwortete voller Würde und errötete dabei:

»Nicht, bitte verlangen Sie keine Erklärung. Ich weiß es selbst nicht. Ich habe es nie zu etwas gebracht in meinem Leben. Ich habe keine großartigen Talente. Ich begleite lediglich großartige Gedanken und glaube, auf diese Weise nützlich zu sein. Ich helfe den Leuten dabei, über Wichtiges nachzudenken. Es ist nicht so, daß ich das irgendwie in meiner Gewalt habe. Es ist, als habe man eine gute Singstimme – manche haben sie, und sie singen schön. Wer sie nicht hat, wird nie singen, doch er kann etwas anderes lernen. Früher hatte ich immer Angst davor, zu Fremden nach Hause zu gehen, um mich bei ihnen zu wärmen und ihnen von meiner Wärme abzugeben. Nun weiß ich, daß mein Tod naht, also beeile ich mich, das Notwendige zu tun und mache mir keine Sorgen mehr darüber, daß sie mich hinauswerfen könnten wie einen Bettler. Und es läuft alles wie geschmiert. Aber ich weiß nicht, warum und wie. Und die Tatsache, daß wir in letzter Zeit, Jahr um Jahr, mehr flackernde Lagerfeuerchen gehabt haben, bereitet mir Freude. Selbst wenn es zehn von meiner Sorte gäbe, könnte ich nicht zu jedem gehen. Was mich traurig stimmt, ist nur, daß ich die Feuer der Moral nicht beeinflussen kann. Dafür habe ich das Talent nicht. Mein seliger Bruder hatte es freilich. Ah!«

»Warten Sie!« In mir brach sich eine Entdeckung Bahn. »Wenn es Leute gibt wie Sie, die eine anregende Wirkung haben, dann muß es doch auch ›Dämpfer‹ geben?«

»Und wie«, bemerkte Fedjaschkin traurig. »Kältestrahler – natürlich gibt es die! Sind Sie nie auf einen gestoßen? Wenn Sie mich nun entschuldigen wollen. Ich gehe dann jetzt. Ich wohne hier ganz in der Nähe.«

Ich gab ihm die Hand und sah zu, wie sein rundlicher Körper sich auf steifen Beinen davontrollte. Und erst als er fort war, wurde mir meine Dummheit bewußt, und ich verfluchte mich selbst. Ich hatte ihn nicht den millionsten Teil dessen gefragt, was ich wissen wollte. Ich hatte mir nicht einmal seine Adresse geben lassen.

Doch das war keine Schwierigkeit. Ich konnte im Adressenverzeichnis nachsehen.

Den ganzen Tag über war ich in einem klarsichtigen Rauschzustand. Alles in meiner Hypothese ergab einen Sinn – mit einer Ausnahme: Es war nicht zu bestreiten, daß es Leute gab, deren Gegenwart ein jegliches Vorhaben beschleunigte – ich hatte solche selbst gekannt. Aber immer machte ihr Einfluß sich konkret bemerkbar: durch Worte, Gesten, Gelächter. Sie beteiligten sich an der Arbeit, sie waren nicht einfach zugegen! Aber Fedjaschkin war einfach dabei.

Die Errungenschaften der Wissenschaft haben uns gelehrt, uns mit jedem kleinsten Problem an die Wissenschaftler zu wenden. Und genau das beschloß ich zu tun. Ich stellte mir vor, wie ich Professor X anrief, Z von der Akademie aufsuchte, und wie beide zu Fedjaschkin eilen würden. Doch sofort ernüchterte ich wieder. Weder Professor X noch Z von der Akademie konnten etwas tun. Menschen mit seltsamen und verblüffenden Fähigkeiten waren der Wissenschaft bekannt.

Da taucht ein Mann auf, der die Quadratwurzel einer sechs-stelligen Zahl schneller ermitteln kann als jeder Computer. Oder man hört von einem, der nie schläft. Wer weiß, wieviel vollkommen Unglaubliches in den Menschen steckt? Doch hat die Wissenschaft sich bemüht, hier zu ermitteln? Ein menschlicher Computer ist imstande, jeden zu überzeugen: die Ergebnisse seines phänomenalen Talents kann man ja vor sich auf der Tafel sehen. Man kann ihn beobachten, und das geschieht auch. Aber was dann?

Doch Fedjaschkin konnte seine Fähigkeiten ja nicht einmal demonstrieren. Sie ließen sich nicht in Zahlen oder sonst auf eine derartige konkrete und überzeugende Weise ausdrük-ken. An Fedjaschkin konnte man glauben oder nicht glau-ben, doch der Glaube gilt in der Wissenschaft nicht als Beweis.

Ich beschloß schließlich, Fedjaschkin zu besuchen, einen oder zwei Abende mit ihm zu verbringen, und zu sehen, was geschehen würde.

Doch zuerst kamen die Korrekturfahnen von meinem Buch, dann wurde ich krank, dann hatte ich Wichtiges zu erledigen – ich weiß nicht mehr genau, was, doch es ließ sich nicht aufschieben. Es war nicht so, daß ich Fedjaschkin vergaß, doch die ganze Angelegenheit trat irgendwie in den Hintergrund.

Nichtsdestoweniger traf ich ihn dann doch.

Auch diesmal prallte ich auf der Straße auf ihn. Es war ein ungewöhnlich heißer Mai, zu Anfang des Monats; der Asphalt schmolz in der Sonne, obwohl die Bäume noch keine Blätter trugen. In dem heißen Himmel, der durch die winter-kahlen Äste sichtbar wurde, lag etwas Eigenartiges. Fed-jaschkin war in sich zusammengesunken, und seine Hand-gelenke baumelten nur so aus seinen Ärmeln. Er ging, ohne mich zu bemerken, an mir vorbei, und ich mußte ihm nach-rufen.

Er fuhr zusammen, sah mich irgendwie verloren an, und erkannte mich wie von fern, als sei ich ein Fleck am Horizont.

»Sind Sie krank?«

»Nein, wieso?« fragte er unsicher. »Mich friert nur.«

»Bei dieser Hitze?«

»Und was ist mit dem Wind?«

Ich blickte um mich. Es ging kein Wind, und die Flaggen der Stadt hingen bewegungslos herab.

»Fühlen Sie es nicht?« fragte Fedjaschkin vorwurfsvoll. »Es weht . . . es weht schon seit langem, aber heute ist es besonders schlimm. Über unserer alten und gelehrten Kultur hängt eine Kälte. Merken Sie denn nicht . . . Oh, verzeihen Sie! Ich vergaß, Sie bekommen das jeweils Neueste an Gedanken ja nicht mit.«

»Wovon reden Sie?«

»Aber wieso spüren Sie es denn nicht? Wie können Sie wagen, es nicht zu spüren? Die Vernunft ist dabei, wegzufrieren, sie windet sich und stirbt. Und Ihnen ist warm?«

Fedjaschkin brüllte mich an, und sackte dann in sich zusammen. Ich sagte nichts, trat unruhig von einem Fuß auf den anderen.

»Wenn der Gedanke eines Wissenschaftlers stirbt, so ist das nicht so schlimm«, fuhr er flüsternd fort. »Er ist unzerstörbar, verstehen Sie? Hätte es Newton nicht gegeben, wäre die Schwerkraft trotzdem entdeckt worden, und hätte es Einstein nicht gegeben, hätten wir die Relativitätstheorie früher oder später dennoch. Aber was, wenn es Leo Tolstoi nicht gegeben hätte? Wir könnten jahrhundertelang suchen, aber sogar eine Ewigkeit würde uns nicht *Krieg und Frieden* schenken, von niemandem, niemals, kann das in der Zukunft wiedergutgemacht werden. Da liegt das ganze Problem!« Fedjaschkins Stimme wurde fester. »Deshalb wird die Menschlichkeit in einem sterben, wird das Denken in einem nicht erweckt, wird man nicht warm. Doch sogar in der Wissenschaft kann es furchtbar sein. Stellen Sie sich vor, wie die Dinge aufgehalten worden wären, wenn das Denken von Marx erfroren wäre. Nein, wie ich fühle, können Sie unmöglich verstehen – wie das ist, wenn man die Todesschreie des Denkens hört, wenn man, hoffnungslos verzweifelt, die Hilferufe vernimmt, unfähig, etwas zu unternehmen!«

»Beruhigen Sie sich«, sagte ich.

Doch Fedjaschkin konnte sich nicht beruhigen. Er weinte wie ein alter Mann, schluchzend. Die Leute musterten uns auf offener Straße.

Ich führte ihn, wie ein Kind, zu einem Limonadeautomaten, kämpfte mich durch die Schlange, gab ihm zu trinken und wollte ihn nach Hause begleiten.

»Ich habe keine Zeit«, rief er leidenschaftlich, als ich ihm mein Vorhaben schilderte. »Ich werde die, die noch denken, aufsuchen. Halten Sie mich nicht auf! Ich muß rechtzeitig dort sein!«

Nur mühsam erreichte ich, daß er einem erneuten Zusammentreffen zustimmte.

Doch dazu kam es nicht. Er starb an jenem Tag, wie mir später zu Ohren kam, er brach im Laufen zusammen. Er hatte es eilig, irgendwo hinzukommen. Passanten lasen ihn auf, und Nachbarn sorgten für seine Beerdigung, da Fedjaschkin weder Freunde noch Verwandte besaß. Er starb so, wie er gelebt hatte, still, und niemand nahm zur Kenntnis, daß Fedjaschkin nicht mehr war. Ein Mann mit dem seltsamen Talent, anderer Leute Denken zu steigern. Selbst ich verspürte keinen Verlust, nur Trauer und eine gewisse Enttäuschung darüber, daß er nie über meine Schwelle getreten war, wenn ich arbeitete, und es nun nie mehr tun würde.

Die Geschichte, die wir geschrieben hatten, als Fedjaschkin still dabeisaß, hatte großen Erfolg, aber natürlich würdigte niemand von uns Fedjaschkin in der Öffentlichkeit. Nur in meinen Gedanken dankte ich ihm, und mir war ziemlich unwohl dabei.

Und das ist alles. Das Leben ist voller unvollendeter Situationen, voller Beobachtungen, die nie zu Ende geführt werden, von all dem, was nicht mit den Maßstäben einer Geschichte vereinbar ist, die für einen Fremden einen Sinn ergibt. Wir behalten es für uns und tragen es mit uns fort.

Und das hätte ich auch mit dieser Geschichte getan, wäre da nicht die Zeitung von gestern gewesen. Sie enthielt ein Interview mit einem Mann, der etwas ganz Außerordentliches entdeckt hatte, und enthielt den folgenden Satz: »Mein besonderer Dank gilt P. P. Fedjaschkin, der mir beim Erfassen des Problems behilflich war.«

Sonst stand dort nichts über Fedjaschkin, doch es berührte mich tief. Jemand hatte seiner gedacht und war dankbar, und diesen Großmut hatte ich nicht besessen. Es war, als hätte ich im stillen zugegeben, daß die Fähigkeit, andere beim Denken zu unterstützen, weniger als andere Fähigkeiten wert war. Ich mußte etwas schreiben über Fedjaschkin, dessen Gegenwart genauso unauffällig und lebensnotwendig war, wie es das Vorhandensein von Enzymen für die körperliche Gesundheit ist.

MODERNE HÖLLE

Stepan Porfirjewitsch Demin, ein Mann in den Fünfzigern mit trübem Blick und mausgrau melierten Haaren, war durch und durch ein Schweinehund. Es war daher nicht verwunderlich, daß eines schönen Tages ein Teufel bei ihm erschien.

Der Bedienstete der Hölle trug einen hervorragenden, bügelfreien Anzug, ein weißes Nylonhemd und eine silbrige Krawatte. In der einen Klaue hatte er einen eleganten Diplomatenkoffer, und in den Krallen der anderen glimmte eine amerikanische Zigarette.

»Sie haben genau dreiunddreißig Schandtaten begangen«, kündigte er Demin an, »und wir sind somit zur Wegnahme Ihrer Seele befugt.«

»Einen Augenblick mal«, gab Demin zurück, ohne seinem Gast auch nur einen Stuhl anzubieten. »Soweit ich weiß, liegt die Grenze für Schandtaten . . .«

»Vollkommen richtig. Erst im letzten Monat jedoch ist der Höchstwert vom Direktorium der Hölle um die Hälfte gesenkt worden.«

»Aber das ist ungesetzlich! Willkürherrschaft ist das!«

»Ebenfalls richtig. Es ist ungesetzlich. In vielen Teilen der Welt ist ungesetzliches Handeln modern. Da übernehmen Faschisten die Macht, werden Verfassungen verletzt, gibt es alle Sorten von Juntas . . . es nimmt kein Ende. Die Hölle ist bestrebt, was die Dinge im allgemeinen und das Böse im besonderen angeht, auf der Höhe der Zeit zu bleiben.«

»Man hätte uns warnen können!«

»Machen Sie sich nicht lächerlich. Das wäre dann ja wohl keine reine Willkürherrschaft mehr, oder?«

Der Teufel lächelte milde und nahm Platz, wobei er mit dem Schwanz zuckte. Demin nickte, doch dann kam ihm plötzlich eine Idee.

»Ihre Papiere!«

Der Teufel warf seinen Ausweis auf den Tisch.

Demin setzte seine Brille auf, verglich das Gesicht des Teufels mit dem auf dem Photo, kratzte mit dem Fingernagel an dem Siegel der Hölle und gab das Dokument mit einem Seufzer zurück.

»Ich würde jetzt gern etwas über die Vorschriften hören, die die Wegnahme von Seelen regeln«, sagte er und starrte durch seine Brille.

»Keine Sorge, sie sind nicht sehr kompliziert. Zunächst . . .«

»So nicht. Sie werden ja wohl die Dienstvorschrift dabeihaben.«

Der Teufel runzelte die Stirn.

»Verdammte Bürokratie«, murmelte er. »Es ist wissenschaftlich erwiesen . . .«

»Wissenschaft ist Wissenschaft, aber Papier ist Papier«, belehrte Demin ihn. »Wieso sollte ich mich auf Ihr Wort verlassen? So arbeite ich nicht, und ich hoffe, daß auch in der Hölle so nicht vorgegangen wird.«

Der Teufel senkte fügsam den Kopf und entnahm seinem Diplomatenkoffer einen gewichtigen Band. Auf seinem Rükken glühte ein feuriges Wort: »Vorschriften.«

Demin vertiefte sich darin. Vor Vergnügen schnaufend, hob er dann und wann verwundert die Brauen, murmelte vor sich hin und versenkte sich dann wieder tief in den Text. Seine Augen, die für gewöhnlich trüb waren, glänzten, als hätte man sie mit Sprudelwasser beträufelt.

Der Teufel langweilte sich, und er war im Begriff, die Geduld zu verlieren. Er räkelte sich in seinem Lehnstuhl und schaltete schließlich den Fernseher ein, um sich ein Eishokkeyspiel anzusehen. Das faszinierte ihn so, daß er sich zwei *Camel* gleichzeitig anzündete und die Lautstärke voll aufdrehte.

»Sie stören mich«, bemerkte Demin.

»Fabelhaft«, erwiderte der Teufel ohne aufzusehen. »Hindernisse sind dazu da, um überwunden zu werden. Stimmen Sie mir zu?«

Demin warf einen Seitenblick auf des Teufels zuckenden

Schwanz und sagte nichts. Im Errichten von Hindernissen war er selbst ein Meister. Er warf dem Teufel einen vernichtenden Blick zu und nahm seine Lektüre wieder auf.

»Ja«, sagte er schließlich. »Ein gut geschriebenes Buch. Und ich war der Meinung gewesen, der Vertrag müsse mit Blut unterzeichnet werden.«

»Veraltet und sehr unhygienisch!« schnaubte der Teufel. »Hier ist ein Formblatt. Sie füllen das aus, und das Ganze ist besiegelt.«

Er machte sich nicht einmal die Mühe, von dem Gerät aufzusehen – das Spiel ging auf sein Ende zu, und sein Ausgang war ungewiß. Das Formular sprang selbsttätig aus dem Aktenkoffer und blieb vor Demin liegen. Er nahm es sorgfältig auf, griff zu seinem Tintenfaß und füllte in seiner unleserlichen, dienstlichen Schmierschrift die freien Felder aus. Sobald er Datum und Unterschrift daruntergesetzt hatte, flog aus dem Diplomatenkoffer ein großer, runder Stempel und stempelte das Dokument mit einem dumpfen Schlag.

Im Zimmer stand ein höllischer Geruch.

»Ich soll mich also fertigmachen?« begehrte Demin zu wissen.

»Mund halten!« schrie der Teufel und bejubelte eifrig das entscheidende Tor.

Er schaltete den Fernseher aus und wandte sich mit einem glücklichen Gesicht seinem Opfer zu.

»Alles ausgefüllt? Fabelhaft. Jawohl, jawohl, es hat alles seine Richtigkeit. Ich mag den Umgang mit gebildeten Sündern«, sagte er und fügte mit der Spitze seines Fingernagels seine Unterschrift hinzu. »Jetzt noch schnell auf einen Sprung runter in die Hölle, den Vertrag registrieren lassen, und dann . . . Nicht die Fassung verlieren, Alterchen. ›Wir gehören alle der verlorenen Generation an‹, wie Hemingway bemerkte. Ihr werdet alle gebraten, wißt ihr – in Mikrowellenöfen. *C'est la vie.* «

Er schwenkte den Vertrag, schloß seinen Aktenkoffer und verschwand, wobei er noch sagte: »Keine Sorge, all eure

Qualen gründen sich auf modernste psychologische Erkenntnisse!«

Eine Minute später war er wieder da.

»Sieh mal her, Alter!« sagte er leichthin. »Der Vertrag muß noch einmal neu aufgesetzt werden.«

»Wieso das?«

»Du hast das Formular mit einem Füllfederhalter ausgefüllt. Das geht nicht. Du mußt einen Kugelschreiber, oder besser noch, einen Filzstift nehmen. Ich sagte bereits, daß die Hölle um den Fortschritt im allgemeinen und den verwaltungstechnischen Fortschritt im besonderen sehr besorgt ist. Schreib das also nochmal!«

»Nein«, sagte Demin fest.

»Was heißt nein?«

»Was es eben heißt. Anstelle von Hemingway und dem ganzen modernen Zeug hätten Sie lieber auf den Vorgang achtgeben und sich vergewissern sollen, daß alles korrekt zuging.«

»Aber . . . aber . . .«, sagte der Teufel unsicher. »Sie haben die Schandtatengrenze erreicht, und somit . . .«

»Und somit, junger Mann, ist der Vertrag, sofern einmal von bevollmächtigten Vertretern unterzeichnet, im Falle einer späteren Nichtübereinstimmung mit der gesetzlich vorgeschriebenen Form, wobei besagte Nichtübereinstimmung auf Täuschungsversuch des Seelenübereigners zurückgeht, nur mit Zustimmung desselben neu abzufassen. Wird die Zustimmung dahingehend verweigert, tritt zwischen Seelenübereigner und der Hölle eine neue Rechtsbeziehung gemäß Paragraph Beelzebub-117 in Kraft, demzufolge der betreffende Seelenübereigner dann von ›Ganz und gar Schweinehund‹ auf den Rang ›niedriger Abschaum‹ aufrückt, dem eine doppelte Quote an schändlichen und gemeinen Taten zugestanden wird. So steht es in den Vorschriften, und es könnte Ihnen nicht schaden, sich ein bißchen besser damit vertraut zu machen.«

Der Teufel erbleichte an Horn und Huf.

»Aber das ist doch bloß eine Gesetzeslücke!«

»Und daß Sie Ihr keine Aufmerksamkeit geschenkt haben, wird Ihnen eine Rüge eintragen. Heben Sie sich also bitte unverzüglich hinweg. Und hier, die Dienstvorschrift, nehmet hin. Eins . . .«

»Warten Sie!« heulte der Teufel auf und stank nach Schwefel. »Diesmal siegt Ihre Gemeinheit. Aber für den zukünftigen Dienstgebrauch – wo, ja wo haben Sie bloß die Tinte her? Die gibt es doch heutzutage weder für Geld noch gute Worte, noch für eine unsterbliche Seele.«

»Wissen Sie, junger Mann, ich bin ein wenig konservativ veranlagt. Sicher ist sicher.«

DAS VERBOT

Während Stigs sorgfältig seine Überlegungen darlegte, wurde das Gesicht des Dekans zunehmend düster und zornig.

»Linksdrehende Photonen!« unterbrach er Stigs schließlich. »Jaja, ich verstehe: Sie haben vor, nach linksdrehenden Photonen zu forschen. Wieso untersuchen Sie nicht auch gleich das Prinzip des Perpetuum Mobile, wo Sie schon einmal dabei sind? Oder die Koordinaten der Himmelspforte? Haben Sie denn Gordons Bücher nicht gelesen?«

»Ich habe Gordon gelesen«, erwiderte Stigs, bemüht, die Ruhe zu bewahren. »Diese Versuche wurden vor achtzehn Jahren durchgeführt, als man noch nichts vom Borisow-Effekt wußte. Theoretisch besteht Hoffnung.«

»Theoretisch!« Der Dekan vermochte seine Verärgerung nicht länger für sich zu behalten. »Aber das Geld, das ich ausgebe, muß praktischen Zwecken dienen! Zwei Millionen!«

»Eine Million. Gordons Versuche kosteten zwei Millionen. Der Borisow-Effekt macht es möglich!«

»Davon habe ich gehört. Aber Sie vergessen einfach, wer Gordon ist. Oder unterstellen Sie, er hätte nie von dem Borisow-Effekt gehört? Gordon ist nicht allein deshalb eine Größe, weil er der Vater der Allgemeinen Feldtheorie ist. Ist Ihnen bekannt, daß er mit seinen Schlußfolgerungen und Vorhersagen nicht ein einziges Mal irrte? Und um zum Schluß zu kommen: wissen Sie, daß Gordons Experimente mit linksdrehenden Photonen in allen nur möglichen Variationen wiederholt worden sind? Fois, Sherrington, Brodetsky – die größten Experimentalphysiker der Welt. Und nichts, *nichts* haben sie entdeckt! Linksdrehende Lichtströme sind ein Mythos, der Stein der Weisen. Eine Fata Morgana.«

Der Dekan war an die sechzig, doch die groben Linien in seinem Gesicht ließen ihn seltsamerweise jünger erscheinen.

Sein Anzug war von ausgezeichnetem Schnitt. Doch all das war nicht von Bedeutung. Es war gleichgültig, wer der Mann war, der dort auf dem Stuhl saß, und was er anhatte. Was zählte, war, daß er für die Finanzen verantwortlich zeichnete, verantwortlich für eine große Anzahl von Menschen, ein Mann der Verwaltung, und als solcher konnte er gewagte Forschungsvorhaben nicht dulden. Schon wenn an einem Forschungsvorhaben Zweifel bestanden, war mit seinem geneigten Wohlwollen nicht mehr zu rechnen. Doch Stigs gab die Hoffnung nicht auf. Er hätte lieber nicht mit dem Dekan zu tun bekommen, doch mit Leuten seines Schlages hatte sich zu seiner Zeit sogar der große Gordon arrangieren müssen. Ein interessanter Gedanke – wäre aus Gordon wohl der große Gordon geworden, wenn er diese Art von Arbeit nicht so gut beherrscht hätte?

»Das Ganze scheint mir doch ziemlich klar zu sein, Stigs«, schloß der Dekan rauh und machte eine Bewegung mit seinem Aktenordner zum Zeichen, daß er die Audienz für beendet hielt.

»Aber Sie haben sich nicht Van Merls Reaktion angesehen«, rief Stigs.

»Van Merl? Wenn ich will, habe ich über Nacht die Stellungnahmen von zehn Kapazitäten, und in jeder wird stehen, was ich Ihnen soeben gesagt habe. Sie können jetzt gehen, Stigs, und sich wieder an Ihre Arbeit machen!«

Als er sich erhob, fühlte Stigs, wie seine Hände zitterten.

»Ein Wort noch.«

Der Dekan blickte auf.

»Na schön, aber keine hochtrabenden Phrasen über die Bedeutung des Problems, die Notwendigkeit von Risiken und ähnliches.«

»Nein, wirklich nicht. Was wäre, wenn . . . wenn Gordon selbst sich für die Versuche aussprechen sollte?«

»Gordon?«

Der Dekan lehnte sich in seinem Stuhl zurück und ließ die Fingernägel gegeneinanderschnippen. Er sah Stigs sorgfältig an.

»Sie wollen Gordon dazu bewegen, seine Meinung zu ändern? Hmmmm ... wird er Sie überhaupt empfangen?«

»Das wird er.« Es war Stigs klar, daß er sich auf schwankenden Boden begab.

»Nun, wenn Gordon zustimmt – dann sehen wir weiter.«

»Ein Glück, daß Gordon noch lebt«, dachte Stigs, während er auf Gordons Häuschen zuging. »Wäre er tot, müßte ich mich statt seiner mit seinem Einfluß auseinandersetzen, und Einfluß allein kann sich nicht widerrufen.«

Stigs versuchte, sich Mut zuzusprechen. Am Tag zuvor hatte er, nach seinem Gespräch mit dem Dekan, zehnmal die Nummer zu wählen begonnen und zehnmal wieder aufgelegt, bevor er endlich die Verbindung entstehen ließ. Im Gegensatz zu dem, was er erwartet hatte, hatte Gordon sofort in seinen Besuch eingewilligt. Sofort! Es handelte sich um einen wahren Wissenschaftler. Krank, alt und weltabgeschieden, hatte er dennoch auf einen Hilferuf sofort reagiert. Gordon hatte Stigs schweigend angehört und dann, nach einer kurzen Sekunde, in der Stigs beinahe gestorben wäre, knapp geantwortet: »Ich erwarte Sie morgen um neun.«

Morgen! Um neun! Die lebende Legende erwartete Stigs, behandelte ihn, den durchschnittlichsten vom Durchschnitt, wie einen Ebenbürtigen! Die Nacht über tat Stigs fast kein Auge zu, probte und durchdachte jedes Wort, jeden Tonfall erneut, bewegte sich zwischen Verzweiflung und der Gewißheit, daß alles glattgehen würde.

Und jetzt, vor Gordons Tür, da er schon die Hand ausgestreckt hatte, um zu klingeln, spürte er plötzlich, daß sein Kopf vollkommen leer war. Er hatte alles, was er sagen wollte, vergessen, keine zwei Worte würde er zusammenbringen, er würde nicht einmal imstande sein, sich von der Stelle zu rühren!

Brrr! Stigs ließ die Hand sinken. Nur ruhig, immer mit der Ruhe! Immerhin, wer war denn Gordon? Ein Genie auf einer Stufe mit Einstein, aber doch nicht der Papst, nicht Gott, nur ein Wissenschaftler, ein menschliches Wesen. Er war nierenkrank, er züchtete Rosen, er war furchtbar aufrichtig und, wie man sich erzählte, freundlich.

Stigs merkte nicht einmal, wie er mit aller Kraft auf den Klingelknopf drückte. Er konnte sich nicht daran erinnern, daß sich die Tür geöffnet und man ihn hereingebeten hatte, daß er seinen Mantel abgelegt hatte und über die Schwelle getreten war.

»Guten Tag. Nehmen Sie Platz!«

Gordon lag fast auf dem Sofa, und noch immer kam es Stigs vor, als überragte er ihn turmhoch. Sein Kopf, majestätisch wie die Kuppel einer Kathedrale, und seine Schultern überragten ihn, und diese Mähne von weißem Haar – wie eine Wolke, die an einem unerreichbaren Firmament schwebte. Und sein Blick schien entrückt zu sein, als käme er von den eisigen Gipfeln großen Denkens, ein Blick, der die Geheimnisse der Natur und die nebligen Weiten der Unsterblichkeit sah. Er war bereits unsterblich, Teil der Bronzesammlung der Geschichte mit seinem klaren, losgelösten Blick.

Gordon begann sich zu bewegen und rückte sich die Decke auf seinen Knien zurecht.

»Erzählen Sie!«

Ohne seine eigene Stimme zu vernehmen, begann Stigs zu sprechen.

Ungefähr drei Minuten später unterbrach Gordon ihn mit einer schwachen Handbewegung.

»Ich verstehe. War das nicht auch Ihr Artikel vor drei Jahren, in den ›Physikalischen Jahresschriften‹?«

»Ja.« Stigs' Kehle wurde trocken.

»Es handelte sich da um eine elegante Lösung des Problems der Schwankungen von Gravitonen. Wieso haben Sie auf dem Gebiet nicht weitergearbeitet?«

»Weil ich . . . weil ich da eine Brücke sah zu den linksdrehenden Photonen.«

»Und das hat Sie angezogen? Sie vermögen an nichts anderes mehr zu denken?«

»Nein . . . ich meine . . . nicht die Photonen selbst, sondern die Folgerungen.«

»Und welche Folgerungen?«

Stigs starrte Gordon an. Stellte er ihn auf die Probe? Machte er sich über ihn lustig? Spielte er mit ihm Katz und Maus?

»Bewegungen gegen den Zeitfluß«, brachte er mühsam hervor.

»Was sonst noch?«

Stigs war vollkommen durcheinander. Was sonst noch? Was sah das große Genie sonst noch? Was für Geheimnisse standen seinem Verstand offen, auf welche Eigenschaften der Natur bezog er sich, wenn er »sonst noch« sagte?

Gordon seufzte unhörbar.

»Also schön. Was ist Ihrer Meinung nach das Ziel der Wissenschaft?«

Nein, Gordon machte sich nicht über ihn lustig. Er war, das wurde Stigs klar, wohl kaum zu Scherzen aufgelegt. Gordon betrachtete ihn, er forderte und stellte in Frage, sanft, nachdrücklich, streng.

»Das Ziel der Wissenschaft ist Wissen . . . Wahrheitsfindung.«

»Welcher Wahrheit?«

»Welcher? Der allgemeinen Wahrheit. Die Natur . . .«

»Lassen wir die Natur aus dem Spiel! Erzählen Sie mir von sich! Alles, von Anfang an!«

Gordon schloß die Augen.

Ohne zu verstehen, begann Stigs, sich zu entschuldigen. Was konnte er von sich erzählen? Wie er anfing in der Wissenschaft? Was Wissenschaft ihm bedeutete? Das kann man nicht erklären. Sein Vater trank, es gab endlose Streitereien in der Familie. Da fand Stigs Zuflucht in Büchern. Vorwiegend wissenschaftlichen Büchern. Sie führten ihn ein in die Welt des reinen Wissens, wo sein banger Geist über den klaren Feldern der Wahrheit schwebte, wo ein jeglicher Schritt einen zu größeren Höhen des Wissens um das Universum führte, hoch oben inmitten der Sterne. Die Götter Newton und Lobatschewski, Darwin und Einstein und . . . Gordon führten den Jungen an der Hand. Den Jungen, der weghörte, um das Schreien seiner Mutter, die trunkenen Flüche seines Vaters nicht mit anzuhören, den Jungen, der sich von Kopf bis Fuß schmutzig fühlte. Wie hatte er gelernt! Welche Furcht, als er seine ersten, unabhängigen Forschungen begann! »Das Moment des Spins bei zerfallenden Gravitonen.« Er dachte an Gravitonen, so wie man an Mädchen denkt. Er wollte alles über sie wissen, koste es, was es wolle. Es gab Tage, da ging er durch die Straßen, ohne irgend etwas zu sehen, da drang das Schieben der Menge nicht zu ihm vor – nichts vermochte seine Wirklichkeit anzukratzen. Irgendwo, in einer anderen Dimension, gab es Fußball, Kino, Gespräche, Geld, Grobheit, Neid – all die Dinge, von denen er, wie ein Kind, umgeben war –, aber jetzt arbeitete er, obwohl er noch nicht sehr gut war, bereits hoch über all dem, genau wie er es sich einst erträumt hatte. Aber konnten Worte allein seine Gefühle ausdrücken?

Und er konnte nicht sagen, ob Gordon ihm zuhörte oder seinen eigenen Gedanken nachhing – oder einfach ein Nikkerchen machte.

Stigs verstummte. Gordon öffnete die Augen.

»Ich muß Sie enttäuschen, mein Freund. Linksdrehende Photonen – sind eine Illusion.«

Er klang genau wie der Dekan. Stigs erbleichte.

»Nicht alles, was theoretisch möglich ist, taucht auch in der Natur auf. Irrlichter, Sumpfgeister, das sind Ihre linksdrehenden Photonen. Leider leuchten derartige Lichter stets in Grenzgebieten der Wissenschaft. Ich war selbst einmal hinter einem her und verlor fünf Jahre – und was für Jahre! Fois, Sherrington und Brodetsky ging es genauso. Sind das nicht genug Opfer? Und Sie sind jung und – Ihren Artikeln nach zu urteilen – begabt. Verschwenden Sie nicht Ihre Zeit! Das ist mein Rat.«

»Aber der Borisow-Effekt . . . Sie haben an der Eingangstür geklopft, und da war bloß eine Mauer aus Stein. Vielleicht ist der Hintereingang die Antwort.«

»Weder der Vorder- noch der Hintereingang führen zu etwas, das es nicht gibt. Als Borisow seinen Effekt entdeckte, überprüfte ich sofort meine Schlußfolgerungen. Da war kein Fehler. Ihr Weg ist nicht realistisch.«

»Aber warum? Warum? Wo habe ich mich geirrt? Wie? Zeigen Sie mir das!«

Das war praktisch Gotteslästerung, Gordon um eine Erklärung zu bitten, den zerbrechlichen, über achtzigjährigen Gordon. Eine Erklärung zu verlangen, nachdem Gordon es überaus deutlich gemacht hatte, daß sein Wort die Wahrheit war. Aber nein, in diesem Zimmer, der Wiege der allgemeinen Feldtheorie, war es kein Frevel. Beide Männer unterlagen demselben Gesetz, das größer als sie beide war, und dieses Gesetz machte es erforderlich, daß Gordon stichhaltige Beweise auffuhr. Er konnte nicht dagegen verstoßen, sonst würde aus der Wissenschaft Religion und er ihr Hohepriester.

»Also schön.«

Vor ihm auf dem Tisch lag ein Stoß Papier. Gordon griff nach einem unbeschriebenen Blatt, glättete es, und seine steifen, knotigen Finger griffen zu einem Stift – und aus dem Stift flossen mathematische Zeichen in strenger Reihenfolge.

Es handelte sich hier um das Urteil. Das Verbot nahm erbarmungslos Gestalt an, und der Zaun aus Symbolen war stärker als Säulen und höher als Mauern aus Beton. In aller Ruhe war Gordon im Begriff, seinem Traum den Weg zu versperren, und der Lichtstreifen wurde immer schmaler. Stigs fröstelte, als er der Hand in ihrer schreibenden Bewegung zusah, dem Federstrich voller Zuversicht, der grausamen Logik der Beweise. Der Stift war im Begriff, zu einer letzten Zeile über das Papier zu fahren.

Der Stift kam ins Stocken, erbebte, wurde langsamer.

»Der Rest ist offensichtlich, denke ich«, sagte Gordon mit müder Stimme, indem er das Papier von sich schob.

Er rieb sich die Hände und barg sie unter der Decke.

Stigs glaubte, den Verstand zu verlieren. Das Urteil war geschrieben, unterzeichnet und besiegelt, doch die Beweisführung enthielt einen Widerspruch! Einen winzigen, fast nicht erkennbaren Widerspruch. Stigs begriff blitzschnell, was ihn verblüffte, er erfaßte die Kette der Schlußfolgerungen, Gordons gedankliche Abläufe wurden zu den seinigen, er durchdachte alles, und . . .

Unmöglich! Er konnte es einfach nicht glauben! Der Widerspruch ließ sich nicht auflösen! Er ließ sich nicht verheimlichen!

Stigs hob den Blick und hätte fast aufgeschrien. Der da vor ihm saß, war ein ganz anderer Gordon. Vorgebeugt, armselig, mit eingefallenem Mund und braunen Altersflecken auf den Wangen. Nicht länger überragte er ihn turmhoch, und sein glanzloses Haar erinnerte auch nicht mehr an eine Wolke – Stigs sah ihn so, wie er wirklich war, und nicht, wie seine Phantasie ihn sich ausgemalt hatte. Und beinahe hätte Stigs geweint.

»Sie sind also dahintergekommen«, flüsterte Gordon seufzend. Des alten Mannes Kopf sank noch tiefer herab. »Sie hatten den Mut, mir nicht zu glauben, und nun . . . ja, Ihr Weg ist realistisch. Deshalb realistisch, weil es linksdrehende Photonen gibt. Ich fand das vor achtzehn Jahren heraus.«

Stigs war sprachlos. Eine Welt brach für ihn zusammen. Sterne stürzten, der Himmel stürzte ein, die Götter starben. Er selbst lag im Sterben.

Wie eine Echse glitt Gordons Hand unter der Decke hervor und berührte ihn an der Schulter.

»Lassen Sie den Kopf nicht hängen! Wissen Sie noch, daß ich Sie fragte, was es, jenseits der Eigenschaften linksdrehender Photonen, sonst noch gibt? Da haben Sie nicht geantwortet. Sie hatten nicht darüber nachgedacht. Ich werde antworten. Was ist das Ziel der Wissenschaft?«

»Was?«

»Das Glück der Menschheit. Wenn die Wissenschaft die Menschen nicht glücklicher macht, was ist sie denn nütze? Wissen ist Macht, eine Waffe, und wenn es dem Wissenschaftler gleichgültig ist, auf wen sie zielt, was unterscheidet ihn dann von einem Söldner? Auch darüber haben Sie nicht nachgedacht, Stigs! Sie wollten linksdrehende Photonen finden – Teilchen, die sich von uns weg in die Zukunft bewegen. Sie werden sie entdecken, genau wie ich zu meiner Zeit. Und dann? Dann die praktische Anwendung. Die Leute werden lernen, in die Zukunft zu schauen – und sie in ihre Gewalt bringen, denn die natürliche Ordnung der Dinge läßt sich berichtigen, kennt man sie erst einmal. Wird das die Menschheit glücklicher machen? Sehen Sie sich um, Stigs! Ein Bankier wird alles tun, um sein Kapital zu behalten, oder ein Diktator seine Macht, oder ein Gelehrter seinen Lehrstuhl. Millionen von Menschen haben ein begründetes Interesse an der Erhaltung der gegenwärtigen Ordnung. Die Zukunft bedroht sie, denn sie wissen nicht, was auf sie zukommt. Sogar jetzt versuchen sie – vergeblich –, darauf Einfluß zu nehmen. Diesen Leuten verleihen Sie Macht über die Zukunft. Sie werden sie zerstören, Stigs!«

»Aber . . .«

»Still! Sie haben nicht begriffen. Sie werden sie zerstören, Stigs. Nachdem Roger Bacon das Schießpulver erfunden hatte, hielt er seine Entdeckung vor allen geheim, denn er wußte, wozu sie führen würde. Eine edle, aber zwecklose Geste. Vor fünfzig Jahren unterwarfen sich Physiker einer freiwilligen Zensur, um zu vermeiden, daß ihre Arbeiten über Kernspaltung in die Hände der Nazis gerieten. Aber sie gaben ihr Wissen an Amerika weiter. Hiroschima war die Folge. Aber sogar wenn sie ihre Labors zugemacht hätten, wären andere gekommen, die die Bombe erfunden hätten. Das muß nicht einmal aus einem Gefühl des Patriotismus heraus entstehen. Alles, was dazugehört, ist reine Neugier. Im Bewußtsein der Lehren der Vergangenheit beschloß ich, als ich die linksdrehenden Photonen entdeckte, einen anderen Weg zu gehen. Ich erklärte, es gäbe sie nicht. Ich erzählte der Weltwissenschaft, es sei sinnlos, nach ihnen zu suchen. Meine Beweise waren meine Forschungsergebnisse – gefälscht! Und mein Ruf. Ihn legte ich wie eine Schranke über den Weg. Oh, ich machte mir nichts vor, mir war klar, daß früher oder später ein junger Mann daherkommen würde, den mein Verbot nicht beeindrucken konnte. Aber ich mußte Zeit gewinnen. Zum Glück sind Versuche, linksdrehende

Photonen zu entdecken, sehr teuer. Ich mußte das so lange wie möglich abwenden. Noch fünfzig Jahre – vielleicht sogar weniger – und die Welt wird sich ändern. Man wird nur in die Zukunft schauen, um Naturkatastrophen vorherzusehen, und um Krankheiten zu heilen, noch bevor sie auftreten. Daran glaube ich. Ich habe gegen die Gesetze der Wissenschaft verstoßen. Aber nicht gegen die der Moral. Und mich zu verurteilen, steht Ihnen nicht zu!«

»Ich verurteile Sie nicht«, sagte Stigs mühsam, als bekäme er keine Luft. »Doch was ist mit Fois, Sherrington, Bladetsky?« rief er.

Gordon machte eine unwillige Bewegung mit dem Kopf.

»Nun, der verstorbene Fois, der verstorbene Sherrington und der verstorbene Bladetsky ... Tja, sie waren alle meine Freunde«, stieß er majestätisch hervor.

Und plötzlich fühlte Stigs sich wieder ganz klein – klein angesichts dieses alten Mannes, dessen Blick voll stolzer Würde war, dessen Gesicht genauso aussah wie auf den Abbildungen, die Stigs aus seinen Schulbüchern vertraut waren.

WAS NIE GESCHAH

Das gelbliche, hohlwangige Gesicht, das schon nicht mehr menschlich wirkte, versank vollständig in den Kissen. Der Körper unter der Decke war so mager, daß es schien, als existiere da ein Kopf ganz für sich allein. Nicht einmal ein Kopf – ein loses Stück von einer Mumie, eine Attrappe aus Wachs, eine Maske mit lustlos angefügtem schütteren Haar.

»Setti Tovius, versuchter Selbstmord, zehn Tabletten Pectalan, alle üblichen Maßnahmen eingeleitet, Zustand hoffnungslos«, murmelte der diensthabende Arzt.

Schweigend untersuchte der Professor, was gestern noch Setti Tovius – ein Mensch, der gearbeitet und Steuern gezahlt hatte – und jetzt ein halber Leichnam war. Es entsprach all den Gesetzen. Die Umwelt siebte die schwächeren Formen aus: so war es vor Milliarden von Jahren mit den Amöben und Algen, und so geschah es auch heute noch. Die natürliche Umwelt, die gesellschaftliche Umwelt, ganz gleich – es wurde weiter ausgesiebt.

»Vollkommen hoffnungslos?«

Der Arzt nickte.

»Also schön«, sagte der Professor. »Versuchen wir einmal, der Natur das Gegenteil zu beweisen.«

Der Arzt begriff nicht, doch er lächelte für alle Fälle.

»Etwas Neues?«

»Ich schätze, schon. Freude und Glück sind, wie Sie wohl wissen, wirksamer als jede Medizin. Schwierig ist nur, wie man jemanden dazu bringt, Augenblicke des Glücks zu durchleben, wenn er die Gesellschaft der Toten vorzieht und selbst schon halb dazugehört. Sind die Angehörigen da?«

»Er hat keine.«

»Freunde?«

»Bis jetzt kein einziger, der sich gemeldet hätte.«

Der Professor seufzte.

»Sehen Sie, da liegt das Paradoxon. Ein Mann lebt mitten

in einer Großstadt, geht arbeiten, und wer ist er wirklich? Robinson Crusoe, ein gesellschaftlicher Crusoe, der die Hoffnung aufgegeben hat, je am Horizont ein Segel zu sichten. Also gut, Gefühle beiseite. Wir werden es mit der Biowellenmethode zur Erzeugung von Glücksgefühl versuchen.«

»Künstliche Träume?«

»Der Form nach, ja. Aber er wird es erfahren wie die Wirklichkeit. Und wenn er danach nicht versucht, gesund zu werden ... nun ja ... nicht doch, ich glaube an Erfolge.«

Der Professor gab telephonisch seine Anweisungen, nahm eine Schachtel Zigaretten heraus, zählte sie, schüttelte bedauernd den Kopf (es war erst Morgen, und die Schachtel war schon halb leer) und zündete sich eine an. Noch so ein Paradoxon, dachte er im stillen. Da arbeite ich daran, schädliche Umwelteinflüsse gering zu halten, und was tue ich? Ich bin dabei, langsam Selbstmord zu begehen, pumpe meine Lungen voll mit Rauch.

Setti Tovius schob die federnden Äste der Kiefern zur Seite. Die Seeluft traf sein Gesicht, und die weiße, reine, glitzernde, endlose Küste drang in seine Wahrnehmung wie ein Blitz.

Er konnte es nicht glauben. Er kniff die Augen zusammen und wandte sich Renata zu. Sie schaute mit weitgeöffneten Augen, und ihr dichtes Haar flatterte, Flügeln gleich, im Wind.

Ihre Hände berührten sich.

Das Meer war nur etwa fünf Meter entfernt. Sie gingen Hand in Hand, umgeben von dem blaßblauen Himmel, der schimmernden See, dem menschenleeren Strand. Die Schreie der Möwen verloren sich in der endlosen, leeren Weite.

In Setti rührte sich etwas Uraltes, lange Vergessenes. Es war, als fiele eine Kruste von ihm ab, und jede Zelle seines Körpers begann, den warmen Hauch der See zu spüren.

Die niedrigen Wellen leckten an dem ebenen, festen Sand. Ihre lichtdurchlässigen Bewegungen hinterließen ein schmelzendes Schaumnetz wie feines Spitzengewebe, doch da war noch etwas in ihrem unerbittlichen Fluß, etwas, das es ihm schwermachte, den Blick von ihnen zu nehmen, und das er nicht definieren konnte.

Es mußten zehn Minuten vergangen sein, viel mehr vielleicht, und sie standen noch immer still da. Setti nahm schließlich den Rucksack von der Schulter und fühlte in seinem Körper eine wunderbare Freiheit. Zur Linken endete der Strand an einem Felsvorsprung; nach rechts verlor er sich in der blauen Weite, und auf der ganzen Länge war kein einziger Fußabdruck. Es war, als wären sie aus der Zeit, aus dem Kreislauf des Alltäglichen, einfach herausgefallen.

Er erschauderte sogar bei dem Gedanken daran, daß die ganze Küste und das ganze Meer nur ihnen allein gehörte, und sie gehörten nur einander.

»Ich hole die Badesachen.«

Er beugte sich über den Rucksack.

»Wozu?« fragte Renata.

Er lachte. Wahrhaftig, wozu? Ihr war noch vor ihm klar geworden, daß dies *ihr* Strand war.

Er sah zu, wie Renata sich auszog, ihre Schultern, den Rücken, die Brüste entblößte, und fühlte nichts außer einer überwältigenden Zärtlichkeit. Die anmutigen Linien ihres Körpers waren ein Wunder, und die Natürlichkeit ihrer Bewegungen, mit denen sie ihre Kleider abstreifte, ihre von der Sonne gebräunten Arme, der sanfte Schwung ihrer Hüften, als sie das letzte Stück zu Boden fallen ließ, ihr kleines Lächeln – all das war zauberhaft.

Er zog sich ebenfalls aus, und die Berührung seiner bloßen Zehen mit dem seidenweichen Sand war aufregend, wie eine Kindheitserinnerung.

Er kraulte stürmisch ein paar Meter hinaus – andernfalls wäre er, vor lauter Lebensfreude, die da in ihm überbordete, geplatzt. Erst dann vermochte er sich zu beruhigen, konnte er beobachten, wie sich die Wellen über den sandigen Grund hinwegkräuselten. Oder sich umdrehen und sich in Rückenlage auf dem salzigen Lager treiben lassen, dann sah er nichts außer Sonne und Himmel.

Doch selbst dann spürte er die Nähe des Mädchens. Und ein Zauberkreis hielt ihn davon ab, sich ihr zu nähern. Ein einziges falsches Wort, eine ungeschickte Bewegung konnte in dieser Welt einen Riß, eine Veränderung bewirken. Oder auch das größte Glück bedeuten, wenn man der Natur ihren Lauf ließ.

Auf kräftigen Schwingen schwirrte ein Vogel an ihm vorbei, weiß wie Meersalz.

Und er lachte, grundlos. Und dachte daran, wie er und Renata dort leben würden, wie sie über einem Feuer das Abendessen kochen und sich im Schutze der Nacht schlafen legen würden, wie vor dem Zelt die Kiefern rauschten und über dem glatten, blauen Meer die Sonne aufging, und wie all das ganz, ganz lange so bleiben würde – solange sie wollten.

Renata stand ein Stück von ihm entfernt im Wasser, und die Spiegelungen der Sonne fielen auf ihr Gesicht. Er tauchte, und erst als er schon fast außer Atem war, fanden seine ausgestreckten Finger ihre glatte, feste Haut, und er richtete sich auf und riß den kräftigen, strampelnden Körper des Mädchens mit sich um. Wasserspritzer und Sonnenlicht, ein Schrei, ihr lachender Mund so nah . . . und noch einmal tief tauchen, und alles beginnt von vorn . . . das Wasser, das einem in die Augen spritzt, bis man nicht mehr sieht, das Lachen des Mädchens, wie sie sich wehrt und lacht, und im Sonnenlicht ein Regenbogen.

Er packte Renata, hielt ihre widerspenstigen Arme, und da erlahmte plötzlich ihr Widerstand, sie drückte sich, groß und schlank und warm und plötzlich sanft und klein und voll Vertrauen, ganz fest an ihn, den Kopf zurückgelegt, die Lippen geöffnet. Und alles verschwamm vor seinen Augen, da war nichts mehr außer der kühlen See und ihrer Umarmung, ihrem Gesicht, glücklich, geheimnisvoll, ganz nah, lieb, voller Erwartung.

Und dann gingen sie auseinander.

Es war alles wieder an seinem Ort – der Strand am Mittag, der Kiefernduft und das Meer, die Wassertropfen in Renatas Haar.

Sie kamen aus dem Wasser, ließen sich von der heißen Sonne trocknen und gingen, ohne ein Wort zu sprechen, am Rande der Flut entlang.

Sie bedurften keiner Worte mehr. Nicht nur ihre Handlungen, sondern auch ihre Gedanken waren wie eins, und ihr Glück war grenzenlos. Er ging neben Renata her, den Blick auf den Abdrücken ihrer geliebten Füße im Sand, und plötzlich bückte er sich und küßte sie. Renata hielt inne und fuhr ihm mit den Fingern durchs Haar und zog daran. Er sah zu ihr auf, einem achtzehnjährigen altklugen Kind, und sein Herz schlug wie wild. Er erhob sich, streichelte mit der Hand über ihre Wange und setzte seinen Weg fort.

Er hatte vorher gewußt, daß sie schön war, aber das zählte jetzt nicht mehr. Er hatte vorher ihren flinken, frischen Körper geliebt, die Spontanität ihres lebendigen Gesichtsausdrucks, ihr offenes, vertrauensvolles Lächeln und die zärtliche Tiefe ihrer braunen Augen, aber das war es auch nicht. Ginge es nur darum, so könnte er dies Gefühl vielen Frauen entgegenbringen. Aber jetzt war sie die einzige, und sie gehörten für immer zueinander.

Der weiße Quarzsand war sauber und fein. Unter ihren Füßen knirschten unzählige winzige Muscheln. Am Wasser entlang zog sich eine Spur von Dingen, die das Meer ausgespieen hatte: Stücke von dunklem, glatten Holz, ineinandergewebte Muster aus Seetang, milchig poliertes Glas, stumpfe Fischschuppen.

Sie wandten sich den Kiefern zu, dem dunklen, sandigen Ödland, dessen heißen Atem sie unter ihren Füßen spürten. Sie hatten, schon während sie sich dem Wald näherten, eine Entdeckung gewittert, und kamen an einen Fluß, der dem Meer zustrebte. Er war klar, warm und voll winziger Fische. Sie traten in das Wasser und wanderten stromaufwärts, bis der Fluß sich verbreiterte und das Wasser kühler wurde, was darauf schließen ließ, daß hier ganz in der Nähe, im Grün verborgen, seine Quelle war. Sie schoben ein paar Äste beiseite und fanden sie – einen hellen Wasserstrahl, umrahmt von feuchtem Moos und dunklen, glänzenden Felsen.

Unversehens lagen sie bäuchlings im Moos und ließen im Wasser Blasen steigen. Das Spiegelbild der Äste und des Himmels zitterte auf der Wasseroberfläche. In dem eiskalten Wasser begannen die Zähne zu schmerzen, und sie hüpften zurück zu der sonnenüberfluteten Wiese auf der anderen Seite des Wäldchens.

Es war klar, daß hier ihr Heim, ihr Zelt stehen würde. Kiefernduft und Wärme umgaben sie. Durch die schweren Äste der Kiefern hindurch konnten sie das Meer glitzern sehen. Setti blickte das Mädchen an und sah, daß sie aufrecht dastand, mit geschlossenen Augen, ihr Gesicht fast wie schlafend. Er schloß die Augen, und ihre Schultern berührten sich. Sie fuhren wie elektrisiert zusammen, und ihre Hände ergriffen einander. Und dann verschwamm und zerfloß alles wie vorhin im Meer, alles verschwand, nahm die Farbe dunklen Purpurs an, und nur der Geschmack ihrer Lippen blieb, zwei vorsichtig suchende Zungen, die nachgiebige Weichheit der Erde und der lange, süße, feurige Tod in den Armen des anderen.

Und als alles vorbei war, war die Welt so gut wie zuvor.

Wolken trieben träge am Himmel, Renatas Kopf lag friedlich auf seiner Schulter, und Fichtennadeln stachen in seinen Rücken. Ein winziges Geräusch, das aus dem Himmel fiel, erweckte seine Gedanken zum Leben. Hoch oben in dem Blau flog schlingernd ein ganz kleines Flugzeug.

Setti erkannte es sogar auf diese Entfernung, und sein Stolz regte sich. Er war hier auf Erden, aber auch da oben; hoch dort oben waren seine Gedanken, eingeschlossen in den windschlüpfrigen, stählernen Rumpf, sie überflogen den Planeten, machten sich den Wind und die Entfernungen untertan.

»Mein Kleines«, murmelte er.

Das Mädchen begriff und runzelte die Stirn.

»Wie schade, daß du nicht mir alleine gehören kannst.«

Doch in ihrer Stimme lag kein Schmerz. Sie ließ ihm Freiheit und erbat nichts als Gegenleistung. Ein wenig traurig gestand sie ihm das Recht zu, er selbst zu sein.

Dankbar umarmte er sie.

»Ich brauche dich so, wie du bist. Verändere dich bitte nie!«

»Ich habe nicht die Absicht, mich zu verändern. Ich möchte vier Kinder von dir. Damit ich ihnen die Nasen putzen und Spielzeug kaufen kann.«

»Und ein Haus«, sagte er. »Und einen Hof. Und jeden Abend kommen Freunde zu Besuch. Nein, nicht jeden Abend, du würdest mir zu sehr fehlen.«

»So wird es sein«, sagte sie. »Und du gehst jeden Morgen in dein Ingenieurbüro.«

»Und du malst morgens deine Bilder und wirst wütend, wenn sie nicht gelingen.«

»Ich werde nicht wütend. Wütend werden nur die Begabten.«

»Deine Zeichnungen sind wundervoll. Sie zeigen die Dinge so, wie sie wirklich sind.«

»Wenn das so ist, wirst du eine Frau haben, die wütend wird.«

»Ich habe eine wunderbare Frau. Die allerbeste.«

»Immer?«

»Immer!«

Ein Sonnenstrahl zog über ihre Gesichter hinweg. Wenn man die Augen nicht fest zumacht, ist die Welt durch die Wimpern hindurch voller Regenbögen und Schleier. Die windgepeitschten Kiefern schwanken am Himmel, und in ihnen heult der Wind wie in den Masten eines Schiffes. Die Masten durchstoßen die Wolken, und sanft trägt einen der Planet auf seinem breiten, freundlichen Rücken. Er ist noch keine Vierzig, und Tage wie diesen wird es viele geben.

Setti Tovius saß da, hatte die Hände im Schoß und antwortete einsilbig auf die Fragen des Professors.

»Wie fühlen Sie sich?«

»Gut, danke.«

»Ist Ihnen klar, daß wir Sie von den Toten zurückgeholt haben?«

»Ja, danke.«

»Und, was ist das für ein Gefühl?« Ein Scherz konnte nicht schaden, dachte der Professor.

Der Kopf des Patienten fuhr ruckartig herum, und die Adern an seinem mageren Hals traten hervor.

»Bin ich geheilt, Professor?« fragte er, ohne aufzusehen.

»Oh ja. Natürlich ist dieser Schock nicht spurlos an Ihrem Organismus vorbeigegangen. Seien Sie eine Zeitlang vorsichtig. Keine Aufregung, kein Alkohol, mehr frische Luft. Und keine Schlaftabletten. Keine einzige! Nach so einer Vergiftung können zwei Tabletten Pectalan Ihr Ende bedeuten. Ich hoffe, Sie haben nicht vor, diesen Versuch zu wiederholen?«

Diesmal verzog sich das Gesicht von Setti Tovius zu einem Lächeln, und dem Professor war unbehaglich zumute: es sah aus, als seien da nur Knochen unter der Pergamenthaut.

»Ich war ein Narr, Professor. Ich war ein Narr.«

»Prima.« Der Professor war froh. Jetzt wollte er dies Gespräch so schnell wie möglich zu Ende bringen. »Also dann, ich wünsche Ihnen alles Gute . . . in Ihrem neuen Leben.«

Er erhob sich. Setti Tovius folgte seinem Beispiel, wobei er noch immer auf seine Füße starrte.

»Hören Sie, Professor . . .«

»Ja?«

»Könnten Sie . . . das Band mit den Biowellen . . . dieses Band . . . könnten Sie mir das Band mit diesem Leben überlassen?«

Der Professor schüttelte den Kopf.

»Das geht nicht.«

»Aber weshalb nicht?«

»Zunächst einmal brauchen Sie eine spezielle Anlage, um es abspielen zu können, die kostet einige Hunderttausende. Zweitens erfordert so ein Einsatz strengste ärztliche Aufsicht. Und drittens – verstehen Sie bitte, das ist der wichtigste Grund – können Sie doch kein künstliches Leben führen.«

»Wieso nicht?«

»Weil ... aber das ist doch ganz klar. Wie dem auch sei, die ersten beiden Gründe reichen ja auch aus.«

»Ich verstehe.«

Er verbeugte sich ungelenk und strebte der Tür zu. Verflucht, sogar sein Anzug war grau und abgetragen und zerdrückt, wie der ganze Mann.

Der Professor trat ans Fenster. Der Mann, den er errettet hatte, ging dort unten durch den Krankenhausgarten. Ja, er hatte ihn vom Tode errettet, indem er ihm künstliches Glück geschenkt und seinen Lebenswillen erweckt hatte. Das Verfahren rechtfertigte sich selbst; es würde manchen anderen retten und seinem Erfinder Ruhm und Ehre einbringen. Alles an diesem sonnigen Tag war wundervoll. Der Professor stellte verwundert fest, daß er eine brennende Zigarette in der Hand hielt. Er sah in die Schachtel. Kein Zweifel, sie war zur Hälfte leer.

Der Professor hatte sich verspätet, und als er nach oben kam, begrüßte ihn der diensthabende Arzt, der ihm in seinem üblichen Singsang Bescheid gab.

»Setti Tovius, zweiter Selbstmordversuch, alle üblichen Maßnahmen eingeleitet, Zustand kritisch, aber nicht mehr in unmittelbarer Lebensgefahr.«

»Ist er bei Bewußtsein? Kann er reden?«

So hastig, daß sein Mantel hinter ihm aufflog wie die Schwingen eines Erzengels, eilte der Professor auf die Station, wo die Nachtbeleuchtung Setti Tovius' wachsfarbene Züge nur schwach beleuchtete.

»Warum ... warum haben Sie das getan?«

»Ich ... wollte ... wieder ... ans ... Meer.«

Es schien, als käme die heisere Stimme aus zerfetzten Lungen.

»Um Gotteswillen. Warum denn?«

»Im wirklichen Leben ... ist mir ... so etwas ... nie passiert.«

Wird es auch nie, sagte sich der Professor und starrte trüb auf den armseligen Gegenstand, der einmal Setti Tovius gewesen war.

DIE AUGEN DER FREMDEN

Die Sonne leuchtete nicht stärker als Gußeisen, und der Planet selbst war sogar noch trüber. Verglichen mit der flachen Scheibe des Planeten, die wir sehen konnten, nahm sich die Schwärze des Raums wie gebündeltes Licht aus. Kapitän Zibella blickte auf den Planeten und senkte langsam den Daumen. Die Geste, mit der bei den Römern Gladiatoren zum Tode verurteilt wurden, schien angemessen.

Dennoch waren wir gespannt, was die Ortungsgeräte enthüllen würden. Irina goß uns allen Kaffee ein, aber ich rührte meinen nicht an. Immerhin war dies der erste Planet eines schwarzen Sterns, auf den wir gestoßen waren.

Über die Sprechanlage hörten wir die Leute vom Fernmeßposten.

»Entfernung?«

»Entfernung 0,7.«

»Nachrichtenaktivität.«

»Null Aktivität.«

Die Vorschriften wurden genauestens befolgt. Die Nachrichtentätigkeit der Aufklärungseinheit mußte dem Nachrichtenniveau des Planeten angemessen sein. Dies bedeutete, einfach ausgedrückt, daß wir uns vergewissern mußten, ob auf dem Planeten nicht einmal die einfachsten, primitivsten Sende- und Empfangsanlagen vorhanden waren, die unsere Signale abfangen und uns daher hätten entdecken können, bevor wir entdeckt zu werden wünschten.

Doch auf dem Planeten war erwartungsgemäß alles still.

»Kapitän Zibella! Erlaubnis zum Einsatz der Ortungsgeräte?«

»Ich verstehe Sie nicht. Wiederholen Sie ordnungsgemäß!«

Über die Sprechanlage wurde ein tiefes Seufzen laut. Zibella hielt sich an die Vorschriften. Im ganzen All gab es keinen Kapitän, der so pedantisch genau war wie Zibella. Einem alten Witz zufolge lag der Grund, weshalb er nie geheiratet hatte, darin, daß es keine entsprechende Dienstanweisung gab. Mag sein, daß Zibella übertrieb, aber Menschen und Material arbeiteten unter seinem Kommando reibungslos.

»Verzeihung«, kam die Stimme aus der Sprechanlage. »Distanz 0,5 in der Umlaufbahn. Nachrichtentätigkeit im Ziel Null. Passive Zielsichtweite Null. Erbitte Erlaubnis zur Inbetriebnahme der Ortungsgeräte.«

»Verstanden. Entfernung in der Umlaufbahn 0,5, Null Aktivität, Null passive Sichtweite, Erlaubnis zum Einsatz der Ortungsgeräte erteilt.«

Wir alle, Zibella eingeschlossen, starrten ungeduldig auf den Schirm. Die Sekunden vergingen, während die Rechner, die den sie umgebenden Raum prüften, die optimale Strahlung für den Einsatz und die optimale Frequenz (Frequenzen, die für organische Materie schädlich waren, waren untersagt) ermittelten. Aus den Augenwinkeln beobachtete ich den Bildschirm, er war immer noch pechschwarz. Uns, die wir daran gewöhnt waren, Sehen mit Licht gleichzusetzen, fiel es schwer zu glauben, daß die Ortungsgeräte vernünftig arbeiten würden.

Wir waren auf das Schlimmste gefaßt (einige Atmosphären sind undurchdringlich), und als schließlich das Bild erschien, machte Irina spontan ein paar Tanzschritte. Sogar Zibella lächelte. Und wieso nicht? Es war, als hätte jemand plötzlich einen schwarzen Vorhang zur Seite gezogen, und dahinter erschiene strahlend hell die Mittagssonne.

Leo kam in den Kontrollraum geeilt und rieb sich die Hände.

»Na, wie findet ihr das?« fragte er, als hätte er das verblüffende Bild ganz ohne die Hilfe der Rechner zustande gebracht.

Er bekam keine Antwort, denn in diesem Augenblick sahen wir die Hütten.

Es gibt nicht viel, das einem so nahegeht wie der Anblick eines Planeten, den man entdeckt hat. Körper und Geist hängen nur noch an den Augen, die den Anblick, der sich da eröffnet, verschlingen. Die chaotisch zerklüfteten Berggipfel mit ihren Eiskappen wie Saphir. Die Punkte und Striche, die wie Vogelfährten wirken, aber tiefe Schluchten darstellen. Das metallische Glänzen des Meeres. Niemand hat das je zuvor gesehen. Man ist der erste.

Und findet man Leben, würde man seine unsterbliche Seele hergeben, um schneller dort unten hinzukommen. Doch leider sind die Tage eines Columbus lange vorbei. Die Dienstvorschrift für unbewohnte Planeten ist so umfangreich, daß man damit jemanden erschlagen könnte, aber sie ist noch gar nichts im Vergleich zu der für Planeten, auf denen es Leben, und vielleicht sogar intelligentes Leben, gibt. Und Zibella erfüllte sie buchstabengetreu, verlassen Sie sich darauf.

Wir beobachteten den Planeten aus weiter, mittlerer und enger Umlaufbahn; wir machten Landschafts-, Schwerkrafts-, Magnetfeldmessungs-, Strahlenortungs-, Thermodynamik- und sonstige Aufnahmen, und das war erst der Anfang. Wir machten alles, was gemacht werden mußte, alles, was eigentlich auch gemacht werden mußte, und alles, was nicht unbedingt gemacht werden mußte, aber nicht schaden konnte. Wir ertranken fast in eingehenden Daten.

»Nichts wird so heiß gegessen, wie es gekocht wird«, wiederholte Zibella immer wieder, obwohl ihm, nebenbei gesagt, vor lauter Arbeit der Appetit längst vergangen war. Aber wir machten keine Einwände, denn der Planet stellte sich als außerordentlich seltsam heraus.

Da er von dem Stern weder Wärme noch Licht empfing, hätte es sich um einen toten Eiszapfen handeln müssen. Doch obwohl das Klima, nach unseren Maßstäben, rauh war, konnte man sagen, daß es ein blühender Planet war. Er erhielt seine Wärme aus seinem eigenen Inneren, und die Atmosphäre erhielt diese Wärme ausgezeichnet. Die Pflanzenwelt lebte, das war klar, von der Wärmeenergie. Aber was die Bewohner dieser Hütten anging ...

Aus unserer Umlaufbahn konnten wir sie gar nicht genau ausmachen. Aber als wir dann in die zweite Untersuchungsphase eintraten, bekamen wir, vermittels atmosphärischer Roboter, die notwendigen Nahaufnahmen.

Als sie auf dem Schirm erschienen, lachte Leo nervös auf. Was Körperform und -größe anging, ähnelten die Geschöpfe Pinguinen, und ihre freien Extremitäten erinnerten stark an Hände. Aber was den Rest anbetrifft – man stelle sich einen Kopf von der Form einer Melone vor, gekrönt von einem Kranz. Man stelle sich, in der Mitte des »Gesichts«, ein pulsierendes, dreieckiges Ventil vor. Schlitze anstatt Ohren. Und Augen nicht einmal andeutungsweise. Es war das, was sie wirklich nicht menschenähnlich wirken ließ – daß keine Augen vorhanden waren.

Dennoch waren die kegelförmigen Häuser mit kleinen Parzellen Land umgeben, in denen irgend etwas wuchs. Und dazu hatten die Häuser auch noch Türen. Richtige Türen mit ledernen Scharnieren.

Viele Dutzende Kilometer von ihnen entfernt, betrachteten wir beklommen diese Türen, und was sie bedeuteten, wurde uns allmählich vollkommen klar.

»Kapelle, bitte einen Tusch!« witzelte Irina auf eine Art, die nicht ganz ankam.

Zibella hatte uns keine Beachtung geschenkt. Er war über einen Schirm gebeugt, über den ein kleines, unscheinbares, intelligentes Geschöpf huschte, und der Kapitän wirkte, als wollte er den kleinen Außerirdischen an seine breite Brust drücken.

Doch als sich unsere ersten Jubelrufe gelegt hatten, begannen wir, auf einige unerklärliche Tatsachen zu stoßen.

Als wir nur noch drei Schritte von ihm entfernt waren, floh das Tier und lief auf seinen dünnen, röhrenartigen Beinen davon. Doch Irina stand in seinem Weg. Sie streckte ihr Bein aus, um dem tonnenförmigen Körper den Weg zu versperren. Die Hörner des Tieres stießen klirrend auf Metall. Es winselte auf und stürmte nach rechts davon.

Mit wenigen Ausnahmen ließen die Tiere uns nah an sich herankommen und versuchten dann, im Laufschritt zu fliehen, wobei sie nicht einmal die augenfälligsten Hindernisse wahrnahmen. Wir schlossen daraus, daß sie unsere Schritte hörten, uns jedoch nicht sehen konnten. So wenig wie alles andere. Ein Leben ohne Augen. Ein Höhlenleben.

Und sie hatten tatsächlich echte Höhlen hier – düstere Höhlen. Aus der Sicht von oben hatten wir uns daran gewöhnt, daß eine Sonne den Planeten beschien, unsere eigene Radarsonne. Jetzt bedrückte uns die Dunkelheit. Die Dunkelheit und die Gedanken, die mit ihr einhergehen. Die Pflanzen strebten hier nicht, wie auf der Erde, in die Höhe, sondern drängten sich dicht an den Boden. Die farblosen, zerbrechlichen, flachen Blätter dehnten sich schichtweise aus, und je höher sie oben waren, desto dünner und größer waren die leblosen, pilzartigen Blätter. Ein widerlicher, grünlich-gelber Schleim tropfte von ihnen herab, als hätte die gesamte Pflanzenwelt des Planeten einen Stirnhöhlenkatarrh. Es war ekelerregend zu schauen, wohin man trat, aber der Blick auf den Himmel war nicht minder unangenehm. Hoch oben im Dunkel flatterten bleiche Fetzen: die heimatliche Vogelwelt, sozusagen. Nein, dies war für den Menschen sicherlich kein Ort.

Während ich den anderen folgte, dankte ich dem Schicksal dafür, daß ich hier nur Besucher war. Forschen und Entdekken – das war unsere Aufgabe. Hier leben müssen würden andere. Denn der Planet brauchte eine Beobachtungsstation. Jahre der Einsamkeit und Trübsal, lange, eintönige Jahre, über die man besser erst gar nicht nachdachte, selbst wenn es das Problem anderer Leute war. Während ich mich durch die schleimigen Pflanzen arbeitete, war ich froh, eine Rückfahrkarte zu haben.

Wir näherten uns den Hütten ungetarnt, da es keine Augen gab, die uns und unser Licht hätten sehen können. Der Lärm hätte uns verraten können, doch hatten wir nicht vor, so nah heranzugehen.

Und trotzdem krochen wir, aus Gewohnheit, in die »Büsche« – irgendeine hiesige Pflanze mit Löchern so dicht wie in Schweizer Käse. Dachte man darüber nach, war es komisch, aber uns war nicht nach Lachen zumute. Wir hatten versucht herauszufinden, wie es dieser blinden Welt gelang, am Leben zu bleiben.

Daß sie blind war, stand außer Frage. Weder die Tiere noch die Hüttenbewohner verfügten über Entfernungssehen. Sie hatten keine Augen, und das war verständlich. Aber sie hatten auch keine Organe, die die Funktion der Augen ersetzt hätten – Organe, die es ihnen ermöglichten, Dinge in der Entfernung wahrzunehmen, wie dies beispielsweise Fledermäuse können. Gehör? Ihres war nicht besser ausgebildet als das unsrige. Geruchssinn? Auf einer Stufe mit dem von Hunden. Irgendeinen sechsten, siebten oder zehnten Sinn, den wir nicht kannten? Einige Male hatten wir beobachtet, wie ein flüchtendes Tier mit voller Kraft in ein Hindernis lief, so wie das tonnenförmige Geschöpf gegen Irinas Bein geprallt war.

Natürlich, es ergab einen Sinn. Wozu diente das Sehen auf einem Planeten, der nichts als eine riesige Höhle im Weltall war?

Eine fabelhafte Erklärung, aber sie taugte nichts. Denn die Tiere hier konnten laufen, und zwar schnell. Und wo gelaufen wird, gibt es Sehvermögen – andernfalls wäre Laufen reiner Selbstmord.

Alles, was wir hier beobachteten, war schlichtweg absurd, als hätte eine Menge von Blinden sich zu einem Spaziergang über eine mehrspurige Autobahn entschlossen. Eine Welt wie diese konnte es einfach nicht geben, und dennoch funktionierte sie und gedieh! Schön, was das Gedeihen anbelangte, waren wir unserer Sache nicht so ganz sicher.

Unsere Lampen, die über Hunderte von Metern hinweg wirksam waren, tauchten eine Gruppe Hütten in helles Licht. Sie schienen leerzustehen. Wir hatten den Eindruck, als handle es sich um ein phantastisches Bühnenbild, aus dem die Schauspieler sich zurückgezogen hatten. Ich wartete ständig auf die Stimme des Regisseurs, der uns sagen würde, die Aufnahme sei gestorben und wir könnten nach Hause gehen.

Doch die Zeit verging, und es veränderte sich nichts. Wir erschauderten, als sich eine Tür öffnete und der, auf den wir gewartet hatten, heraustrat.

Im Arm einen Behälter, den er fest an seine Seite gepreßt hielt, stand er eine Weile da (das Licht schien ihm mitten ins »Gesicht«) und wandte sich dann den Weg hinunter, wobei er mit der freien Hand die am Weg herabhängenden Blätter berührte. War dies Geschöpf, das sich da den Weg entlangtastete, imstande gewesen, die Felder umzugraben, die die Siedlung umgaben? Die Häuser zu bauen? Zu jagen? Es war nicht zu glauben. Und doch hatte irgend jemand es getan.

Er bewegte sich weiter, wobei er immer wieder nach den Blättern griff.

Unsere Lampen folgten ihm. Sie ließen sogar die Bewegung seiner Muskulatur erkennen. Alles, was wir sahen, ging unserem irdischen Wissen gegen den Strich. Uns war, als müßte das Geschöpf sich jeden Augenblick zu den blendend hellen Lampen umwenden, einen Schrei des Entsetzens ausstoßen und in der Dunkelheit untertauchen. Wir hatten die Finger am Schalter und behielten die Hände mühsam bei uns.

Wir blickten weiter in Richtung des Weges und begriffen, was der Fremde tat. Er war auf dem Weg zu einem winzigen See, und je näher er ihm kam, desto unsicherer wurde sein Schritt. Er befand sich dort in offenem Gelände und beugte sich mehrmals vor, um den Boden zu fühlen. Er ertastete den Uferrand mit dem Fuß und ließ das Gefäß erst hinab, als er sicher war, daß sich vor ihm Wasser befand.

Jetzt mußte er zurück. Anfangs ging er richtig, aber da huschte ein Tier durchs Unterholz. Wir konnten es kaum erkennen, so schnell bewegte es sich. Doch der Hüttenbewohner spürte seine Gegenwart, machte eine schnelle Wendung und trat zur Seite. Dann erstarrte er. Es handelte sich nicht um einen Menschen – er wirkte überhaupt nicht wie einer –, doch wir sahen, wie sein Brustkorb sich hob und fühlten seinen Schrecken, und einen Augenblick lang spürten wir, wie zwischen uns und diesem Geschöpf der ewigen

Nacht ein Band entstand. Wir sprangen sogar auf, um ihm zu Hilfe zu eilen.

Doch das war nicht erforderlich; der Räuber verschwand. Unser Zeitgenosse umfaßte seinen Behälter fester, schüttelte den mit »Lorbeer« – eigentlich waren es Hörner – gekrönten Kopf und setzte seinen Weg fort. Er bewegte sich nicht auf das Haus zu. Seine Bewegungen hatten sich nicht verändert; er beugte sich vor und prüfte den Boden, wobei ihm der mit Wasser gefüllte Behälter hinderlich war. Aber er ging nicht in Richtung der Hütte. Sein Weg führte ihn von der Siedlung weg, dorthin, wo der Weg an einem Abhang endete.

Ich hörte die schweren Atemstöße meiner Freunde und war so verwirrt wie sie.

Sollten wir ihn vor der Gefahr warnen? Aber was war, wenn er an die Klippen wollte?

Er war beinahe dort. Sehr nahe am Rand. Und dann spürte er, daß irgend etwas nicht stimmte. Er verharrte und bewegte den Kopf, als versuche er, etwas zu sehen. Dann machte er einen Bewegung nach links. Doch die Klippen beschrieben einen Bogen, und die einzige Möglichkeit, sie zu umgehen, bestand darin, sich ganz herumzudrehen. Wir warteten ab, was er tun würde. Von dem Fall in die Tiefe trennten ihn nur noch wenige Zentimeter.

»Zurück! Zurück!« Irina gelang es nicht, sich zu beherrschen. So, als könne er unseren Sprechfunk hören.

Er machte einen Schritt. Ins Leere. Sogar im Fallen ließ er den Behälter mit kostbarem Wasser nicht los. Wir hörten einen Schrei.

Was wir nicht wahrhaben wollten, stimmte. Diese Welt war blind, aber sie war erst vor kurzem blind geworden!

»Du weißt so gut wie ich, daß das nicht geht«, sagte Zibella.

»Wir haben keine Wahl«, sagte Irina.

Wir standen unschlüssig über den Körper des Fremden gebeugt. Dank einer sehr vernünftigen Vorschrift befanden wir uns in einer Sackgasse. Um herauszufinden, welche Katastrophe auf dem Planeten stattgefunden hatte, waren wir gezwungen, an dem leblosen Körper eine Autopsie vorzunehmen. Aber war er wirklich leblos? Ohne eine gründliche Untersuchung der höheren Formen von Leben auf diesem Planeten, die wir noch nicht durchgeführt hatten, ließ sich das mit letzter Sicherheit nicht feststellen. Und ohne die Kenntnis seines Körperbaus konnten wir leicht zu Mördern an diesem Geschöpf werden, das vielleicht nur ohne Bewußtsein war.

Andererseits durften wir keine Zeit verschwenden.

»Ich empfehle eine Introskopie seiner inneren Organe«, sagte Irina. »Auf der Stelle.«

Zibella antwortete, wie auch ich an seiner Stelle geantwortet hätte.

»Natürlich, das wäre der vernünftigste Weg. Aber kannst du garantieren, daß die Strahlung ihm nicht schaden wird? Kannst du die Richtigkeit eines solchen Befunds beschwören und feststellen, ob er lebt oder nicht, ohne ihn aufzumachen?«

Also gut, dachte ich, aus und vorbei. Wenn der Organismus des Außerirdischen einem menschlichen nicht gleicht, läßt sich gar nichts garantieren. Aber was, zum Teufel, soll das? fragte ich mich bestürzt. Wir lähmen uns selbst, wo wir handeln sollten. Wäre es nicht ausgerechnet Zibella ...

»Ja«, sagte Irina. »Das kann ich dir voll und ganz garantieren.«

Ich dachte, ich hätte mich verhört. Aber ihre Aussage war noch gar nichts im Vergleich zu Zibellas Antwort.

»Dann los!« sagte er.

Und sonst nichts. Wußte Zibella, daß Irina ein wenig großzügig in der Auslegung gewesen war? Wahrscheinlich. Und doch war Zibella selbst jetzt nicht von den Dienstvorschriften abgewichen. Dort stand: »In ganz speziellen Situationen muß der Kapitän sich auf die Meinung des Experten verlassen.« Und genau das tat er. Und dennoch entzog er sich nicht der Verantwortung. Er hätte schweigen oder ihr widersprechen können; statt dessen gab er einen bejahenden Befehl.

Da versuche man einmal, jemanden zu verstehen, von dem man glaubt, man kenne ihn auswendig. Und doch ist das, wenn man einmal darüber nachdenkt, gar nicht so seltsam. Denn wenn der Widerspruch ein unveränderliches Kennzeichen unserer Umwelt ist (und das ist er), wäre es töricht anzunehmen, es würde je eine Menschenrasse ohne unerwartete Widersprüche in der Persönlichkeit geben.

»Er ist tot«, sagte Irina, und sah von ihren Geräten auf.

Wir nahmen den Leichnam mit in das Schiff.

Unsere Entdeckung machte das Geheimnis nur noch undurchsichtiger. Die Untersuchung des Leichnams ergab, daß die Bewohner des Planeten sehr wohl ein Organ für Entfernungssehen hatten – jenen komischen »Lorbeerkranz« auf dem Kopf. Der Kranz stellte ihre Augen dar, indem er nicht Lichtwellen einfing (natürlich nicht, denn es gab ja keine), sondern die von dem Stern ausgestrahlten elektromagnetischen Wellen, die die Atmosphäre zu durchdringen vermochten.

Ihre Radiosonne glomm für unsere Begriffe nur ganz schwach am Himmel. Aber für sie war diese finstere Welt offensichtlich gar nicht so finster, denn die Evolution hatte ein traumhaft empfindliches Wahrnehmungsorgan geschaffen. Dank ihren Hornfühlern konnten sie wahrscheinlich, genau wie wir, Sonnenuntergänge genießen, die Farben der Pflanzenwelt, das Wellengekräusel und Schimmern des Meeres, alles, was die Welt des Sehens ausmacht, selbst wenn diese Welt aus reflektierten Radiowellen bestand, was uns Menschen unvorstellbar war.

So war es gewesen, bis sie erblindeten.

Rein äußerlich fehlte ihren Fühlern nichts; sie funktionierten bloß nicht, und warum sie nicht funktionierten, vermochten wir nicht zu begreifen.

Zwei Erklärungen waren wahrscheinlich. Eine plötzliche Epidemie. Und noch eine andere. Würde unsere Sonne plötzlich unvermittelt doppelt so helles Licht ausstrahlen wie zuvor, so würden wir nicht geblendet, denn wir haben

Augenlider. Aber sie hatten keine, und brauchten auch keine, denn die Durchdringungskraft von Ultrakurzwellen ist viel geringer als die von Licht.

Fabelhafte Theorien, doch sie waren nichts wert. Welche Seuche hätte alle Bewohner des Planeten so jählings befallen sollen? Ein plötzlicher Anstieg in der Radiointensität des Sterns hätte eine solche Wirkung natürlich zeitigen können, aber unsere Messungen deuteten an, daß sich der Stern, zumindest während unseres Aufenthalts, normal verhalten hatte.

Etwa sechs Stunden lang debattierten wir und brachen die Versammlung schließlich erschöpft ab. Wir waren der Antwort nahegekommen, das spürten wir alle. Unsere Verwirrung hatte etwas Beklemmendes: wir hätten unsere Gehirne behandeln mögen wie eine Maschine, die versagt – mit einem kurzen, festen Schlag.

Ich konnte nicht schlafen, und hatte den Verdacht, daß es den anderen auch nicht gelang. Sobald ich die Augen schloß, sah ich die kleine Gestalt, erstarrt am Rande der Klippen. Ich vermochte seinen Schrei zu hören. Ich zog es vor, die Augen offen zu halten, obwohl es im Raum vollkommen dunkel war. So dunkel wie auf dem Planeten. Nein, dachte ich, so geht es nicht. Mit den Maßstäben der Erde kommen wir hier nicht weiter.

Wie aber waren sie zu umgehen? Unsere gesamte Denkweise, unsere Psychologie, war so unweigerlich erdgebunden, daß es unmöglich war, ihr zu entfliehen. Nun, das stimmte nicht ganz. Wir waren auf verschiedenen Planeten gewesen, und ich schätze, daß wir ein klein wenig Abstand von den irdischen Vorstellungen gewinnen konnten. Nicht ganz und gar, aber es geht. Doch die Begriffe, die wir von der Sonne haben – die sind schwer abzulegen. Wo auch immer wir hingehen, umgeben wir uns mit Licht, mit der Atmosphäre der Sonnenstrahlen. Man kann nichts dagegen machen. Wir wissen, daß es andere Formen von Licht gibt; wir haben Instrumente, die auf andere Art sehen als wir, geschaffen und eingesetzt, aber sogar in ihrem Gebrauch haben wir ihre Daten auf sichtbare Bilder oder abstrakte Symbole reduziert. Die Vernunft ist unser Führer, aber das Auge ist ihr verläßlichster Berater. Ersetzen wir es einmal durch ein Radioauge. Mit einer Maschine läßt sich das machen, mit einem Menschen jedoch nicht.

Das war eine Idee! Einen Roboter mit einem Radioauge von gleicher Kapazität und Empfindlichkeit herunterzuschicken und zu sehen, was mit ihm geschah.

Erregt machte ich Licht. Wie immer nach dem Dunkel waren die flachen, schmerzhaft grellen Umrisse der Gegenstände ein paar Sekunden lang alles, was ich erkannte. Und genau das ist auf dem Planeten passiert, dachte ich. Eine Explosion, die das Auge versengte, und dann die Blindheit und die Finsternis. Die Ärmsten hatten keine Augenlider.

Mein Herz begann, wie wild zu schlagen. Wir hatten nach einer Explosion gesucht, denn nachdrücklich lehrte unsere Erfahrung, daß allein eine Explosion zu blenden vermochte. Aber einmal angenommen, wir suchten nach etwas anderem? Wir sind diejenigen, die ihre Lider schließen können, nicht sie. Das von dem Stern ausgehende Strahlungsniveau, von dem wir aufgrund seiner Gleichmäßigkeit annahmen, es sei normal, war für sie vielleicht gar nicht normal. War das möglich?

Es erklärte alles.

Es erklärte gar nichts. Selbst wenn die Sonne einmal in einer Million Jahren einen oder zwei Monate lang mit einer Intensität auf die Erde schien, die zehnmal höher als gewöhnlich war, wäre das durch die Evolution irgendwie erklärbar. Das galt hier umso mehr. Es war einfach nicht möglich, daß der Stern immer gleichmäßig geschienen und plötzlich verrückt gespielt hatte, als wir kamen. Es war natürlich möglich, aber ein allzu unwahrscheinliches Zusammentreffen.

Und doch besagte es irgend etwas, dies Zusammentreffen – als wäre unsere Ankunft, entweder die Art, wie wir uns näherten, oder ...

Ohne mich anzukleiden, rannte ich in den Maschinenraum. Leo war noch da und blickte entgeistert drein, doch ich gab ihm keine Gelegenheit, etwas zu sagen.

»In welchem Bereich arbeiten unsere Ortungsgeräte?«

»Da muß ich nachsehen. Wieso?«

»Das weißt du nicht?«

»Glaubst du, ich habe das im Kopf, bei allem, was hier los ist? Darum kümmern sich die Computer. Weshalb?«

Aber ich hatte die Meßgeräte bereits selbst abgelesen.

»Leo, ich bitte dich, was ist die ungefähre Intensität der Ortungsgeräte auf der Oberfläche? Kannst du mir die Größenordnung angeben?«

Er sagte sie mir. Er begriff noch immer nicht. Vor meinen Augen verschwamm alles.

Unser Rechner hatte die Frequenzen gewählt, für die die Atmosphäre am durchlässigsten war, und die deshalb das »Lebenslicht« des Planeten darstellten. Aber unsere Apparate waren weniger empfindlich als die »Augen« der Bewohner, und wir wollten so gut wie möglich sehen. Also hatten die Ortungsgeräte alles in gleißende Helligkeit getaucht.

Wir hatten diese Welt geblendet, weil wir sicher gewesen waren, daß die Beschaffenheit der menschlichen Physiologie unsere Sache und die von niemandem sonst war.

Leo sagte irgend etwas, aber ich hörte ihn nicht. Ich blickte auf den schwarzen Planeten, wo wir viele Jahre damit verbringen würden zu retten, was zu retten war. Seltsam, doch der Gedanke an die bedrückende Hölle, die uns erwartete, verschaffte mir sogar Erleichterung.

DES SCHICKSALS
UNERBITTLICHER FINGER

Andrei Semjonowitsch Milowidow hatte eine Vorliebe für seinen Lehnstuhl, Kaffee mit Hafergebäck und gedämpfte Musik am Abend. Dies bedeutete allerdings nicht, daß seine Handlungen dem gemessenen Rhythmus einer Maschine ähnelten. Solche Leute bevölkern lediglich die Phantasie. Der echte Milowidow, der an jenem Abend still vor seinem Radio saß, erhob sich und machte sich am Skalenknopf zu schaffen.

Uauuu, bssss, knck, schschsch!

Das Geräusch eines halben Dutzends heulender, pfeifender und knackender Sender vermengte sich zu einem furchterregenden Getöse. Jedoch amüsierte dieser Mißklang Milowidow, und er wiederholte seinen Versuch, was von einem psychiatrischen Standpunkt vielleicht recht verdächtig erscheint.

Uauuu, bssss, knck, schschsch!

»Heute, den vierundzwanzigsten Juli, ist zu Gast in unserer Stadt die Fußballmannschaft aus . . .«

Des Ansagers gelangweilte Stimme fuhr fort, und Milowidow wollte sich gerade auf die Suche nach einer Musiksendung machen, als er plötzlich stutzig wurde:

Haben wir heute nicht den dreiundzwanzigsten?

Es war der dreiundzwanzigste. Als Bankangestellter wußte er das genau, denn ein falsches Datum auf einem geschäftlichen Vorgang konnte alle möglichen Unannehmlichkeiten nach sich ziehen, und er mußte die Kunden scharf im Auge behalten – es war erstaunlich, wie sorglos die Leute mit dem Datum umgingen. Erneut nannte der Sprecher den Vierundzwanzigsten als Datum, und da die hartnäckige Wiederholung desselben Irrtums ihn faszinierte, hörte Milowidow sich weiterhin den Bericht über die Fortschritte bei der Heuernte an. Seine Pflichten so sträflich zu vernachlässigen, war haarsträubend – jawohl, haarsträubend! Und auch die Züge hatten ständig Verspätung, dachte Milowidow. Er wartete ab, was sich als nächstes tun würde.

Als nächstes kamen Nachrichten über Fischlaichanlagen, über die neuen Straßenverkehrsvorschriften, über eine Sendung importierter Herrenanzüge im Warenhaus sowie ein Bericht über einen Überfall auf die Bank in der Aprelskystraße. Die Bank, in der Milowidow arbeitete.

»Und nun zum Wetter. Für morgen, den 25. Juli, rechnen wir in diesem Bereich mit aufgelockerter Bewölkung . . .«

Die Stimme schwand langsam, so als mache ihr Besitzer sich langsam in eine andere Welt davon. Bang drehte Milowidow an seinem Skalenknopf, doch er vermochte die Stimme nicht zurückzuholen. Ein Zischen ertönte, und sonst nichts.

Milowidow blickte auf die Uhr. Es war Viertel vor Neun, und er wußte mit Sicherheit, daß die hiesige Rundfunkstation zu dieser abendlichen Stunde gar nicht sendete.

Und Milowidow war plötzlich unwohl zumute. Sein Lehnstuhl begann, sich zu heben und zu senken wie ein Ballon.

Am Morgen des Vierundzwanzigsten öffnete die kleine Bank in der Aprelskystraße wie immer um neun Uhr. Wie immer behauchte Milowidow seine Brillengläser, polierte sie mit seinem Taschentuch und machte sich zur Geldannahme und -ausgabe bereit. Wenn man jener Sendung Glauben schenken konnte, würde man ihnen dies Geld heute wegnehmen, vielleicht sogar mit Waffengewalt. Sogar ganz sicher mit Waffengewalt.

In Milowidows Kopf ging es zu wie in einer Getreidemühle. Aus Gründen, die jedem normalen Menschen einleuchteten, hatte er am vergangenen Abend davon abgesehen, die Polizei zu verständigen. An seine Kassiererkollegen konnte er sich aus demselben Grund nicht wenden. Je mehr er nachdachte, umso hoffnungsloser erschien die Lage. Kann das Wissen um die Zukunft die Zukunft verändern?

Und wenn ja, wie? Und was sollte er tun? Er fand keine Antwort.

Unabhängig von seinem Kopf arbeiteten seine Hände weiter – er zählte, zählte erneut, gab aus, nahm ein, schrieb auf und unterzeichnete, und die Außenwelt jenseits seiner gläsernen Trennwand wirkte wie ein seltsames Aquarium, in dem ständig wechselnde Gesichter vorbeihuschten, die die Lippen bewegten und sich ans Glas hefteten. Sie wechselten im Rhythmus der blitzartig gezählten Banknoten, mit denen seine flinken Finger hantierten. Wert zu Wert, und die Bilder richtigherum.

Wie konnten Leute bloß nicht wissen, daß Geld auf ganz bestimmte Weise gebündelt zu werden hat? Während er so grübelte, ging um ihn herum alles, ohne daß er sich dessen bewußt wurde, weiter.

Angenommen, er könnte die Zukunft ermitteln. Was konnte er verändern, wenn sein Wissen auf eben denjenigen Vorgang beschränkt war, den er ausschließlich wollte? Gelänge es ihm zu vermeiden, daß dieser Vorgang eintrat, so bedeutete das, daß er nicht eintreten würde. Aber wie hätte er dann von ihm Wind bekommen können? Oder gab es verschiedene Zukünfte?

»Im Laden haben sie ein paar frisch importierte Sachen«, sagte die Revisorin in einer Pause zu ihm.

»So?« Milowidow kam ganz durcheinander. »Woher wissen Sie das?«

»Eine Freundin von mir ist Verkäuferin, die hat es mir im Bus geflüstert. Es heißt, es seien bloß Herrenanzüge. Ich schätze, ich sollte zu Mittag mal vorbeischauen.«

»Haben sie Pullover?« fragte die Leiterin über Milowidows Schulter hinweg.

Zwei schwache Weiber, dachte Milowidow trübsinnig. Und bis zu dem Verkehrspolizisten ist es ein ganzer Straßenblock.

»Oder nicht, Andrei Semjonowitsch?«

»Ha?«

»Sie sehen furchtbar blaß aus, mein Lieber. Krank?«

»Nein, nein, alles in Ordnung.«

»Ich glaube, ein grauer Anzug stünde Ihnen besser.«

»Ehrlich?«

Milowidow blickte auf seine abgetragenen Jackenärmel und stellte sich jäh, hellwach, wie in einem Alptraum, dort, wo seine Tasche war, einen langsam größer werdenden Blutfleck vor. Von Opfern hatten sie in dem Bericht nichts gesagt, aber das hieß ja nicht, daß es keine geben würde!

Er ließ einen Zehner fallen, der zu Boden glitt, was Milowidow seit langem nicht mehr passiert war. Zum Glück wurde die Leiterin weggerufen und erinnerte sich nicht mehr an ihre Frage.

Milowidow vermochte an nichts mehr zu denken als seinen möglichen Tod. Seine Bank war nie überfallen worden – in der ganzen Stadt hatte es seit zehn Jahren keinen Überfall mehr gegeben –, doch er wußte, daß es bei Überfällen nun einmal Opfer gab, und zumeist handelte es sich um die Kassierer. Doch was konnte er tun?

Schließlich wurde ihm klar, daß, wie wechselvoll die Zukunft auch sein mochte, eine Schießerei nicht notwendigerweise in ihr vorkam, schon weil sie in der Sendung nichts davon erwähnt hatten. Das bedeutete, daß er seine Zukunft innerhalb ihrer Grenzen verändern konnte.

Diese Logik war nicht ohne Makel, doch wenn über einem Mann unweigerlich die Katastrophe schwebt, bleibt ihm für Logik keine Zeit. Seltsam, doch er bezweifelte jetzt nicht mehr, daß die Sendung aus der Zukunft gekommen war. Das war im Grunde gar nicht so unglaublich: Was er las, glaubte Milowidow ganz und gar, und viele kürzlich erschienene populärwissenschaftliche Artikel hatten ihn überzeugt, daß die Wissenschaft zu allem imstande war.

Je mehr die Zeiger der Uhr sich Mittag näherten, desto stärker wurde der Griff der Angst, der Andrei Semjonowitsch umklammert hielt. Es handelte sich nicht um eine rationale Furcht, in der der Verstand fieberhaft an einem Ausweg arbeitet, sondern um eine kreatürliche Angst, die sein Innerstes kalt werden ließ, in ihm das Bedürfnis hervorrief, wegzulaufen. In dem Bericht hatte es geheißen, der Überfall hätte gegen Mittag stattgefunden, und jetzt war es ungefähr elf.

In spätestens einer Stunde ist es soweit, dachte er.

»Ich muß zu einem Treffen«, sagte die Leiterin und hängte den Hörer ein. »Es wird schon gehen – jetzt sind gerade nicht allzuviele Kunden da, du kommst ohne mich zurecht. Um zwei bin ich wieder da.«

»Was mache ich, wenn jemand einzahlen will«, fragte die Revisorin.

»Deine Aufgabe, Schatz. Du hast das doch schon gemacht. Ganz einfach.«

»Sie ist ständig auf diesen Treffen, und uns fällt die ganze Arbeit zu«, nörgelte die Revisorin, als die Tür hinter der Leiterin ins Schloß fiel.

Sie erwartete ganz offensichtlich Mitgefühl von Milowidow, und er zeigte es ihr stets. Er tat es automatisch, wie Zähneputzen. Es gelang ihm, ein mitfühlendes »hmmm« hervorzupressen.

Halb zwölf. Das Interesse an den Leuten, die vor sein Fenster traten, hatte Andrei Milowidow längst verloren. Hände – was er normalerweise sah, waren Hände, die ihm Geld reichten, welches einsteckten. Mitunter, wenn wirklich viel Betrieb war oder es auf Feierabend zuging, wurde er wütend, wenn die Hände ungeschickt waren oder das Geld zuweit vorn ablegten, so daß er danach greifen mußte. Aber wenn es ruhig war, erheiterte er sich manchmal damit, die Leute mit schmutzigen Fingernägeln zu zählen. Auch ordnete er die Hände danach ein, wie sie mit Geld umgingen – ob sie es nun zärtlich oder teilnahmslos oder verächtlich ergriffen und festhielten. Hände, die Geld entgegennahmen, mochte er im allgemeinen nicht, denn das hieß, daß er es ihnen aushändigen mußte. Es gab Gründe für diese Abneigung. Je mehr Geld in der Bank war, desto größer die Gewinne. Und das konnte eine Prämie bedeuten. Doch das war nicht der Hauptgrund. Milowidow liebte Geld, so wie ein Handwerker sein Werkzeug, ein Fahrer seinen Wagen oder ein Schriftsteller seine Feder liebt. Deshalb mochte er Hände, die Geld einzahlten, und er fühlte mit ihnen, wenn sie, bevor sie sich von dem Geld trennten, einen Sekundenbruchteil zögerten – jener kurze Augenblick war für Milowidow ein vielsagendes Gedicht. Und auch zerknüllte Banknoten auseinanderzufalten und glattzustreichen war für Milowidow ein Vergnügen, als kämmte er das zerzauste Haar von Kindern.

Aber jetzt blickte er voll Abscheu auf das Geld. Sie begingen Verrat an ihm, wenn sie sein Leben riskierten. Verrat, jawohl! Er hatte niemandem etwas zuleide getan, er war stets friedlich und ruhig, also warum? Warum er?

Das Leben eines Bankangestellten ist voller verborgener Ängste, denn er ist für jeden Pfennig, der durch seine Hände geht, verantwortlich, und ein Rechnungsfehler kann weitreichende Nachwirkungen haben. Milowidow gestand sich das selbst nicht ein, aber in seinem Herzen wohnte eine ständige und uralte Angst, so ätzend wie Rostfraß. Eine Angst, die er vor sich selbst zu verbergen gelernt hatte. Eine Angst, die ihn dazu gebracht hatte, daß er sich Paragraphen und Regeln unterwarf, daß er sich ihrer so viele wie möglich wünschte, legten sie doch die Grenzen seines Tuns fest und begrenzten so auch die Möglichkeit eines Irrtums. Es handelte sich um reine Selbsttäuschung. Seine ganze Art war von dieser Angst geformt und geprägt, und jetzt fühlte er sich nackt, hilflos, denn da war nichts mehr zwischen ihm und dem drohenden Verhängnis – keine Schalter, keine Anweisungen, keine Vorschrift. So mußte sich eine Schildkröte fühlen, die man aus ihrem Panzer gezogen hatte. Eine Schildkröte, die wußte, daß man sie aus ihrem Panzer ziehen würde.

Milowidow beobachtete jetzt die Gesichter, die vor seinem Fenster aufglänzten, und versuchte zu erraten, welches darunter ihn erbarmungslos anblicken würde. Bis jetzt war kein erbarmungsloses Gesicht dabeigewesen – nur gewöhnliche, müde, freundliche, besorgte, teilnahmslose Gesichter. Das, welches er erwartete und sich ausgemalt hatte, war noch nicht erschienen.

Er begann, sich Unzusammenhängendes vorzunehmen. Der Alarmknopf – konnte er ihn versehentlich auslösen? Besser eine Szene als ... Er war im Begriff, es zu tun. Aber er konnte nicht. Er hatte gerade noch genügend Kraft für die üblichen, automatischen Bewegungen, und die machte er, als würden sie um ihn herum einen magischen Kreis schaffen – als könnte die vorgeschriebene Ordnung, solange er sie beibehielt, die Katastrophe im Zaum halten. Ordnung stellte Mauern dar, Festungsmauern. Er war nicht imstande, sie zu durchbrechen.

Er dachte daran, kurz vor Mittag in den Waschraum zu verschwinden. Aber um eine Frau im Stich zu lassen, war er zu sehr Kavalier. Und woher konnte er wissen, wann es soweit war? Wie ein Kaninchen, das von der Kobra angestarrt wird, konnte er nicht länger klar denken. Es würde geschehen, damit hatte er sich abgefunden. Und ohne darüber nachzudenken, wußte er auch, was er tun würde.

Er setzte seine Arbeit nach außen hin fort wie zuvor.

Vielleicht handelte es sich um den Mann dort ... oder den ... nein, den nicht.

An seinem Fenster zogen die Gesichter vorbei, betrachteten ihn wie aus einer anderen Welt.

Mittag.

»Sind Sie krank?« fragte ihn die Revisorin.

Wovon redete sie?

»Oh ... nichts Besonderes. Ein bißchen erkältet«, sagte er und wischte sich den kalten Schweiß ab.

»Das ist das Wetter, der rasche Wechsel. Besser, Sie geben auf sich acht.«

»Mir geht es gut.«

Er würde auf sich achtgeben. Selbstverständlich würde er das.

Fünf nach Zwölf. Zehn nach.

Und da kam ihm ein glücklicher Gedanke. Die Sendung war aus einem anderen Jahr! Natürlich! Wie kam er bloß darauf, sie könnte aus diesem Jahr sein? Natürlich, sie war aus irgendeinem anderen Jahr!

Milowidow verspürte Glück, so als sei er in seine Jugend zurückgekehrt, da er sich allen älteren Leuten überlegen gefühlt hatte, überzeugt, daß er sein ganzes Leben noch vor sich und zu seiner Verfügung und sie ihres bereits hinter sich hatten. Er würde es besser machen! Das enge Büro mit seinen Wandverkleidungen aus Holzimitation, das Tageslicht hinter dem staubigen Fenster, die von so vielen Ellbogen blankgewetzten Schalter, der Riß in der Decke, den auszubessern man vor Monaten versprochen hatte – so süß erschien ihm alles.

Auf der anderen Seite der gläsernen Trennwand war niemand. Der letzte Kunde hatte seine Angelegenheit abgewickelt und war gegangen. Diese unerklärlichen Pausen gab es fast jeden Tag, und die Leere harmonierte ganz und gar mit Milowidows Frühlingsstimmung.

Diese Stimmung legte sich plötzlich, wie von einem kalten Wind hinweggefegt. Falls jemand den rechten Augenblick abwartete, was war günstiger, als der Moment, da sie beide allein in der Bank waren?

»Andrei Semjonowitsch, ich verschwinde für einen Augenblick, wo gerade niemand da ist. Ich komm gleich wieder.«

Milowidow antwortete nicht. Es war ganz klar und unausweichlich. Es hatte sich alles dahin entwickelt. Erst die Leiterin. Nun die Revisorin. Wenn sie wirklich gehen mußte, warum dann nicht, solange niemand da war? Und jetzt mußte es passieren, gerade jetzt, da er allein und der Raum ruhig und leer war. *Er* würde erscheinen.

Milowidow erkannte *ihn*, als er auf die Tür zutrat. Eigentlich waren es zwei. So mußte es ja kommen, zu zweit oder zu dritt.

Alles lief genauso ab, wie seine Phantasie es sich ausgemalt hatte. Ein Bursche mit tief in die Stirn gezogener Mütze sah sich um, ohne den Kopf zu drehen, und ging langsam geradewegs auf Milowidows Fenster zu. Sein Kumpan, die Hände tief in den Taschen, lehnte beim Ausgang an der Wand und starrte vollkommen gleichgültigen Blicks auf die Straße hinaus.

Auch das Gesicht des Mannes, der auf das Fenster zutrat, wirkte vertraut. Seine Augen, finster wie ein Sonnenaufgang, blickten ihn erbarmungslos an. In ihnen stand weder Zorn noch Wahnsinn noch überhaupt eine menschliche Regung zu lesen. Und die Augen kamen näher.

»Na, Kollege, ganz allein hier und bewachst den Kies, was?« Mit seinem Atem drang der Geruch von Wein zu Milowidow vor. »Du wirst es ausspucken müssen.«

Milowidow wartete auf den Pistolenlauf in seinem Gesicht, aber der Bursche zog ein Lotterielos aus der Tasche. In seinen Kumpan an der Tür kam Bewegung. Er war gespannt, sprungbereit.

Milowidow nahm das Los, ohne zu begreifen, ohne etwas zu erkennen außer dem finsteren Blick, der ihn zu durchbohren schien. In seinem vor Angst starren Hirn tauchte ein fieberhafter Gedanke auf: sie wollten ihn nur ablenken.

Noch immer hielt seine ausgestreckte Hand das Los.

»Also was ist?« fragte der Gauner tonlos. »Müssen wir den ganzen Tag warten?«

»Bißchen Beeilung!« sagte der Mann an der Tür rauh.

Milowidow sah, wie er langsam in die Tasche griff.

»Sofort.«

Ohne sich sprechen zu hören, legte er das Los aus der Hand, öffnete die Schublade und nahm einen Stapel Banknoten nach dem anderen heraus. Sogar in diesem Augenblick ging er mit derselben Genauigkeit vor, mit der er ständig Abhebungen auszahlte, nur beeilte er sich mehr und zählte nicht.

Der Bursche am Fenster nahm den Stapel an sich, und in seinem Gesicht trat eine Veränderung ein. Milowidow wurde nicht klar, welche.

»Phantastisch!« sagte er, stopfte das Geld in seine Taschen und wandte sich zur Tür.

Sein Kollege erstarrte, in der einen Hand eine Zigarette, in der anderen die Streichhölzer.

»Das ist ja stark!« keuchte er. »Wie . . .«

»Weiß ich auch nicht. Ich dachte, ich hätte einen Rubel gewonnen«, sagte der Finstere und zuckte die Achseln. »Gehen wir!«

Als sie auf der Straße waren, drückte Milowidow verzweifelt den Alarmknopf, denn auch wenn er das Ganze nicht begriff, spürte er doch, daß etwas Unwiderrufliches geschehen war.

EIN PLATZ IN DER ERINNERUNG

»Sind Sie der Direktor der Gedenkstätte?«

Ich sah auf und erblickte einen Mann, der so alt war, daß er schon flach wirkte. Sein bügelfreier Anzug hing in Falten an ihm herab und bewegte sich zeitverschoben mit seinem Körper, als sei er darauf bedacht, seine vollständige Unabhängigkeit von ihm darzutun.

»Zu Ihren Diensten. Nehmen Sie Platz!«

Er ließ sich in den Lehnstuhl sinken.

Ein paar Minuten lang musterte der Alte mich. Unter schütteren, ergrauten Brauen hatte er winzige Äuglein, und sie waren von so ausdruckslosem Grau, daß ich mich auf unerklärliche Weise in meiner Haut nicht wohlfühlte.

»Ich spreche also mit dem Direktor«, sagte er zur Bestätigung. »Ich muß Sie auf die Tatsache aufmerksam machen, daß in der von Ihnen geleiteten Einrichtung Mißwirtschaft getrieben wird.«

Er brach erwartungsvoll ab, erwartete meine Reaktion. Doch ich hörte ihm nur in Ruhe weiter zu.

»Also«, fuhr er in weinerlichem Tonfall fort. »Ihre Zentrale Gedenkstätte hatte sich, wie sich das gehört, mit der Bitte an mich gewandt, meine Erinnerungen zu diktieren. Ich nahm mich dieser Angelegenheit mit allem gbührenden Ernst an, denn ich weiß den Wert, den die Erfahrung der älteren Generation hat, den Wert unserer Beobachtungen und Einsichten, zu würdigen. Natürlich bin ich ein einfacher Mann, aber selbst mein Leben war erfüllt vom Kampf für jene rühmliche und fortschrittliche Idee, die unser oberstes Ziel ist, was wiederum . . .«

Nach fünf Minuten dieses Monologs bekam der Stuhl, in dem ich saß, harte Stellen, die mir vorher nie aufgefallen waren. Und ich hatte das Bedürfnis, aus dem Fenster zu schauen, das Geflatter und Geschwirr der Vögel zu beobachten . . .

».. . gründet der Wert der Zentralen Gedenkstätte sich auf die Tatsache, daß sie als Sammelbecken jeder Erfahrung dient, die ... Jedermann steht das Recht zu, was sich nicht übersehen läßt, ohne der Gesellschaft insgesamt zu schaden, und daher haben Mitarbeiter wie Personal der Gedenkstätte sowie die von ihnen bedienten Apparate ihr ganzes Verantwortungsbewußtsein aufzubringen ...«

Ich nickte wohlwollend. Es war zwecklos, ihn eines Besseren belehren zu wollen. Die Zentrale Gedenkstätte war in der Tat ein bedeutender kybernetischer Fortschritt, aber mit Sicherheit nicht die Gesamtausgabe der Erinnerungen eines jeden, der daherkam. Jawohl, ein jeder, wie alt er auch sein mochte, konnte auf unseren Kanal schalten und die Geschichte seines Lebens erzählen, mit all den Einzelheiten, die ihm so am Herzen lagen (Anonymität ist gesetzlich zugesichert). Insbesondere versuchten wir, an die alten Leute heranzukommen, sofern sie uns nicht schon von sich aus in den Ohren lagen. Eine Million Schicksale, eine Million unwiderholbarer Handlungen, Gedanken und Gefühle, all die persönlichen Dinge, die früher mit dem Tode verlorenzugehen pflegten, wurden nun gesammelt und konserviert, blieben auf immer lebendig, und dieser Schatz war unbezahlbar. Es war nicht von Bedeutung, daß die Wahrheit in den Erinnerungen häufig verändert oder geschönt wurde; was geschehen und was erfunden worden war, war gleichermaßen wichtig – beides war Bestandteil des Lebens! Worauf es ankam, war, daß beides nicht durcheinandergeriet – und aus diesem Grund besaßen wir besondere Filteranlagen, die aussortierten und unterschieden. Bitte sehr – ob Soziologe, Lehrer, Historiker oder Psychologe, hier stehen eine Million anonymer, vertraulicher Bandaufzeichnungen zu deiner Verfügung, voll mit dem, was ein Mensch gefühlt und gedacht, wie er in dieser oder jener Lage gehandelt hatte. Bedien dich, zieh deine Schlüsse, formulier deine Lehrsätze! Der heutige wissenschaftliche Fortschritt hätte ohne die Zentrale nicht stattfinden können. Ebensowenig unsere neue literarische Blüte. Auf wieviele Menschen hätte ein Schriftsteller in der Vergangenheit treffen können, wieviele Geheimnisse hätte sein Auge aufzudecken vermocht? Jetzt standen ihm die Seelen von Menschen offen, die längst nicht mehr waren.

Aber inwiefern hatten wir diesem alten Mann Unrecht getan?

». . . beschloß ich aufgrund des eben Erwähnten herauszufinden, wieviele Speicherzellen meine Geschichte einnahm. Und was, glauben Sie, bekam ich heraus? Interessiert Sie das Ergebnis?«

Des alten Mannes Stimme hob sich um eine Tonart. Etwas wie Stahlbeton schlich sich in seinen Tonfall – die unerschütterliche Überzeugung, daß er sich im Recht befand. Im Recht und im Besitz eines Anrechts.

»Also«, sagte er, Zorn und Argwohn im Blick. »Es kam ein unschöner Umstand ans Licht. Ein sehr unschöner! Ich erhielt einen Bericht des Informationsdienstes, in dem steht, die Zahl der meinen Erinnerungen zugeordneten Speicherzellen sei . . .« – er zögerte eine Sekunde – »Null.«

Er machte eine Pause, um seine Aussage in ihrer ganzen Gewichtigkeit einsickern zu lassen, und fuhr dann voller Erregung fort:

»Null Zellen, hören Sie? Nichts, heißt das. Wie konnte das möglich sein? Wie habe ich das zu verstehen?«

Es gab da nichts zu verstehen; das Ganze war mir vollkommen klar. Der Umstand, daß die Maschine nichts aus seinem Bericht aufgenommen hatte, bedeutete nur eines: seine Geschichte war Unfug. Sie enthielt nichts Persönliches, Einzigartiges, Neues; es handelte sich nur um abgedroschenes Zeug, das die Maschine zurückwies. Es war alles bloß Ausschuß, der keine einzige originelle Idee, kein einziges echtes Gefühl und keine einzige neue Tatsache enthielt.

Ich mußte da heraus – schnell und vorsichtig, ohne den Alten zu verwirren.

»Das ist unerhört!« rief ich und griff nach der Sprechanlage. »Sie haben recht. Sie haben vollkommen recht!«

»Das weiß ich«, sagte er gemessen.

Meine letzten Zweifel hatten sich zerstreut. Weder jetzt noch sonst irgendwann würde ihm der Gedanke kommen, seine Erinnerungen seien vielleicht völlig sinnloses Gefasel. Er war nur besorgt darüber, daß ihm irrtümlich eine Ungerechtigkeit widerfahren war, die die Menschheit um seine wertvollen Erinnerungen brachte. Das war alles! Armer Trottel!

Ich tat, als überprüfte und klärte ich irgend etwas, das keiner Klärung bedurfte. In der Zwischenzeit redete er voller Leidenschaft weiter.

»Der Mensch – das hat einen stolzen Klang«, sagte er und hob einen Finger, um das Gesagte zu unterstreichen. »Wunderschöne Worte, die ein jeder sich merken sollte, vor allem Sie, der Sie es mit dem Erhalt geistiger Schätze zu tun haben. Ein jedes ehrlich und verantwortungsbewußt gelebte Leben ist, selbst wenn es sich um ein noch so bescheidenes handelt, den Respekt und die Erinnerung wert. Nicht ich bin es, der das sagt, sondern die Gesellschaft, um derentwillen bescheidene Arbeiter meines Schlages unermüdlich gearbeitet haben . . .«

Er hatte recht. Uninteressante Schicksale gibt es nicht, und jedermann nimmt, wenn er stirbt, ein Universum mit sich ins Grab. Aber das konnte ich ihm nicht sagen. Ich konnte ihm nicht sagen, daß seine Art zu sprechen, und deshalb auch seine Denkweise, verknöchert waren, und daß er aus Gewohnheit alles »Nebensächliche«, alles, das vielleicht ansatzweise originell gewesen wäre, gestrichen hatte, als er über sein Leben berichtete. Irgendwann einmal mußte er über dergleichen sicher verfügt haben – noch immer enthielt sein Erinnerungsvermögen etwas, das einzigartig war – doch es war hoffnungslos, ihn jetzt danach abzuklopfen, es heraufbeschwören zu wollen. Es war längst begraben, besiegelt, vergessen.

»Also da haben Sie es, es handelte sich um einen Irrtum«, sagte ich, als ich aufgelegt hatte. »Ein winziges technisches Versagen; ich fürchte, so etwas kommt immer noch vor. Wir bitten Sie um Verzeihung, wir werden alles Notwendige unternehmen . . .«

»Werden Sie es erneut aufnehmen?«

»Natürlich! Auf der Stelle, wenn Sie das wünschen.«

»Ja. Obwohl das bedeutet, daß meine Zeit und meine Kraft erneut bis zur Erschöpfung beansprucht werden, was ja dank Ihrer Nachlässigkeit . . .«

Ich schwieg, bemüht, zutiefst beschämt dreinzublicken. Es war schwierig; ich bin kein Schauspieler. Ich hasse Lügen, doch es bestand, soweit ich sah, keine andere Möglichkeit. Die Wahrheit würde ihn zornig machen und verletzen, und er würde sie für eine Gemeinheit und Verleumdung halten und sie nicht glauben. Und angenommen, er glaubte sie doch? Nein, nur das nicht. Am Ende seines Lebens einzusehen, daß man nie selbständig nachgedacht und stets nur aus zweiter Hand gefühlt hatte, daß man anderen nie etwas von sich gegeben hatte und, schlimmer noch, vielleicht im Wege war wie eine überaltete Vorschrift. Nein, nein! Warum die letzten Jahre des Alten zugrunde richten?

Zum Glück drohte ihm diese Erkenntnis nicht. Er beendete seine Predigt und erhob sich, und ich folgte seinem Beispiel, um ihn hinauszubegleiten. Aber mitten auf dem Teppich blieb er stehen und fing erneut zu reden an. Ich hörte ihm zu, spürte, wie meine Gesichtsmuskeln hölzern zu werden begannen.

Das Schwerste stand noch bevor. Ich mußte einen Weg finden, ihn hinters Licht zu führen, wenn er sich erneut vergewissern würde (und das würde er!), wieviele Speicherzellen seine Erinnerungen beanspruchten. Ich weiß nicht, was ich dafür gegeben hätte, diese Zellen zu füllen. Doch es würde nicht geschehen. Null – es würde wieder Null herauskommen. Denn die Maschine hatte schon beim erstenmal getan, was sie konnte. Und sie konnte eine Menge. Sie nimmt nicht einfach eine Geschichte auf; vielmehr kann sie, besser als jeder Fragesteller, einen Widerspenstigen dazu bringen, aus sich herauszugehen, und wenn es nicht einmal ihr gelungen war, auch nur ein Körnchen unverzichtbarer Information aufzustöbern, dann war es hoffnungslos.

»Ich war Zeitgenosse Gagarins«, verkündete er, auf meiner Schwelle stehend. »Ich weiß das alles, als wäre es gestern gewesen. Ich habe große Bauvorhaben miterlebt. Ich war dabei. Ich war . . .«

Genau. Er war.

Als die Tür endlich hinter ihm ins Schloß fiel, sank ich erschöpft in meinen Stuhl. Und wenn es nun an mir wäre, die Geschichte meines Lebens zu erzählen, dachte ich dann, hätte ich wohl je den Mut, herauszufinden, wieviele Zellen man mir zugestanden hatte?

Nein. Niemals!

DER INTELLIGENZTEST

Peter zögerte immer wieder, obwohl er wußte, er sollte jetzt unverzüglich zu Ev hineingehen, ihn aufwecken, falls er schlief, und gestehen, daß er, der Maschinist und Obermaat Peter Fanney, ein Gespenst gesehen hatte.

Es war in einer jener entlegenen Sektionen passiert, da ein ständiges Vibrieren an die Nähe der Raum- und Zeitlöschanlage gemahnte. An die Sektion angrenzend war die Kraft gebändigt, die ausreichte, um einen kleinen Planeten zu zerstören, und in den düsteren, schmalen, vibrierenden Korridoren erhöhte sich seine Aufmerksamkeit von Natur aus.

Dennoch fühlte Peter sich wie immer. Vielleicht wäre er erstaunt gewesen, wenn er herausgefunden hätte, daß er, der Meister dieser ungeheuerlichen Maschine, dieselben Ängste hegte, die seine entfernten Vorfahren verspürt hatten, wenn sich in grellem Blitzschlag oder dem bedrohlichen Geruch eines Raubtieres am Weg die Natur offenbarte.

Er beendete gerade seinen Rundgang, als ein leises und ganz und gar unmögliches Husten ihn wie angewurzelt stehenbleiben ließ.

Er wandte sich um.

Niemand, nichts. Ein leerer Gang, der stumpfe Glanz des Emailles auf den Wänden und, schlangengleich, die Schatten der Kabel und Rohrleitungen. Und ein Gefühl im Leib, als betrachte ihn jemand – wie ein Spinnennetz, das sich an sein Gesicht heftete.

»Oleg, bist du das?« rief Peter angespannt.

In dem Gang war es still. Peter war allein, ganz allein im Gedärm dieser reibungslos arbeitenden Maschine.

Einen Augenblick später wurde Peter klar, wie unangebracht, ja, blamabel seine Lage war, und er trat entschlossen auf das Geräusch zu – wobei er den Rucksack mit den Prüfgeräten näher an sich heranzog, als wolle er sich sagen, daß er jedem Problem, ob nun Husten oder Niesen oder Gekicher, gewachsen war.

Aber er hatte noch keine zwei Schritte getan, als irgend etwas von der Wand davonhuschte, etwas, das so schnell und unförmig war, daß sein Gedächtnis es nur als eine Kugel von schwarzem Rauch registrierte, die ihn, während sie um die Ecke verschwand, aus zwei blutroten Augen anglühte.

Als Peter mit weichen Knien endlich draußen auf der Plattform angelangt war, wohin das Etwas sich bewegt hatte, war dort in beiden Richtungen nichts mehr zu sehen, nur die beiden Gänge, voll Vibrationen, die einander ins Unendliche spiegelten. Schwer atmend lief Peter die beiden Gänge entlang, und die Entfernung, die ihn von dem bewohnten Teil des Raumschiffes trennte, schien furchterregend groß.

Die Erklärung schien auf der Hand zu liegen. Dergleichen war in der Vergangenheit vorgekommen, wenn die Belastungen eines ausgedehnten Fluges von den Nerven der Besatzung ihren Tribut forderten, doch soweit Peter sich entsinnen konnte, hatte niemand zuvor je ein Gespenst gesehen.

Das verschlimmerte seine Lage. Er war verpflichtet, dem Arzt – dem alten Ev also – von dem, was ihm passiert war, zu berichten, und was danach geschehen würde, war leicht vorherzusagen.

Er tat sich selbst unsäglich leid. Es war ungerecht, ungerecht, ungerecht! Weshalb er? Weshalb? Und überhaupt, wie hatte das passieren können? Schließlich fühlte er sich nicht schlechter als sonst.

»Schläfst du, Ev?« fragte er leise an der geöffneten Tür.

Dumme Frage. Natürlich schlief der leitende Arzt und Biologe so spät schon, erschöpft nach den schweren Tagen der Arbeit auf Bissera. Vielleicht sollte er ihn jetzt wirklich nicht wecken?

Peter rieb sich das Kinn und überlegte. Er war verpflichtet, den Arzt aufzusuchen, das stimmte. Jawohl, er mußte ihm über alles, was geschehen war, berichten. Aber es war ein Unterschied, ob er sich nun jetzt meldete oder ein wenig später. Ein großer Unterschied! Vielleicht waren seine Reaktionen jetzt ein wenig aus den Fugen. Nach einer kurzen Ruhepause und ein wenig Schlaf, vielleicht . . .

Er traf seine Entscheidung. Peter Fanney begab sich geradewegs in seine Koje, zog sich aus und legte sich schlafen. Er zitterte jetzt nicht mehr. Im Zimmer war es still. Nichts hier drinnen erinnerte ihn an die Geschwindigkeit, mit der das Raumschiff auf seinem rasenden Flug zur Erde den Raum durchschnitt.

Das Raumschiff, auf dem ein Mann ein Gespenst an Bord gesehen hatte – was selbstverständlich nicht passieren konnte.

Einige Minuten später war Peter eingeschlafen. Als guter Raumfahrer hatte Peter stählerne Nerven.

Doch er schlief schlecht. Unten auf der Erde, wo er sich wiederfand, lag er in einer Hängematte, die sich sofort in ein Spinnennetz verwandelte, und sein Herz klopfte bis zum Halse, denn die Spinne mußte jeden Augenblick erscheinen. Peter wußte, daß sie irgendwo in der Nähe war, denn er vermochte die Berührung ihrer haarigen Beine zu spüren, aber er konnte sich nicht bewegen, und die Spinne war unsichtbar, das war das Schlimmste. Dann sah Peter, noch immer in dem Spinnennetz, in ein Mikroskop, und dies war, wie er wußte, seine letzte Chance, den Test, von dem alles abhing, zu bestehen. Doch anstatt die Spinne zu offenbaren, zeigte das Mikroskop ihm Evs Schnurrbart, seinen kühnen, roten Schnurrbart, und wieder und wieder dachte Peter verzweifelt, daß dies die Abschlußprüfung nicht sein konnte, obwohl er doch wußte, daß sie es war. Unter großen Anstrengungen gelang es ihm, das verfluchte Mikroskop wegzuwerfen und ein neues auszuprobieren. Das Mikroskop fiel hinunter, es rollte wie eine Kugel, und der Glanz eines eisigen Feuers ging von der Kugel aus, sie vergrößerte sich, und Peters Herz zog sich zusammen, denn dies war nicht länger eine Kugel, sondern ein konzentrierter Neutronenstern. So also werden Galaxien geboren, durchfuhr es seinen von Entsetzen gelähmten Verstand.

Ein Geräusch setzte Peters Alptraum ein Ende. Er sprang

auf, horchte. Sein Herz schlug wie wild, aber die Wirklichkeit vertrieb die Kraft des Traumes. Er hörte deutlich Schläge und etwas, das wie Geschrei klang. Irgendwo ganz nah. Vielleicht in der Toilette, die sich nebenan befand. Peter stürmte in den Korridor. Er hatte recht: irgend jemand fluchte da und schlug gegen die geschlossene Waschraumtür. Peter zog an der Tür, und aus der Toilette fiel Oleg wie eine Katze aus einem Sack.

»Wessen Späßchen war das nun wieder?« fragte er, ohne Peter die Gelegenheit zum Nachdenken zu geben. »Was für ein Spaß! Humor auf Amöbenniveau, der Toilettenwitz eines Höhlenmenschen!«

»Hatten die schon Waschräume?« fragte Peter perplex.

Die Frage war so lächerlich, daß sie innehielten und einander anstarrten.

»Kriegt man denn jetzt hier überhaupt keinen Schlaf mehr?« fragte eine mißmutige Stimme, und Evs Gesicht erschien, schielend und blinzelnd, im Gang.

Er blickte die beiden unbekleideten Kosmonauten an.

»Man hat Oleg hier eingesperrt«, murmelte Peter verwirrt.

»Ich verstehe. Ist auch schon jemand im Reaktor verbrannt? Scheint so, als wäre jetzt die richtige Zeit dazu.«

»Die Tatsache bleibt bestehen, daß jemand die Tür abgeschlossen und dabei gekichert hat«, schnauzte Oleg. »Ich wüßte gern ...«

»Das unergründliche Geheimnis eines bizarren Rätsels.« Ev nickte. »Ist das hier ein Raumschiff, oder was?«

»Es könnte ein Cyber-Roboter mit einer Störung gewesen sein«, schlug Peter vor.

»Aha!« Evs Augen leuchteten. »In galaktische Finsternis gehüllt, schlich sich das metallene Ungeheuer heimlich an die Pantoffeln des schlafenden Kosmonauten heran. Übrigens, was hast du mit deinen Pantoffeln gemacht, Peter?«

»Womit?«

Alle blickten auf Peters Füße hinunter. Seine purpurn gepunkteten Pantoffeln waren voller Löcher.

»Das Ende der Welt«, seufzte Oleg. »Und voll bis unters Dach mit Witzbolden.«

»Ehrlich, Peter, was hast du damit gemacht?«

»Ev.« Peters Stimme versagte. »Ich muß mit dir reden, Ev.«

»Unsinn.« Ev legte das Miogrammband beiseite. Es blieb an dem Verstärker hängen und hing pendelnd in der Luft. »Was für ein Gespenst? Die Diagnoseeinheit behauptet, du seist gesund, und ich gebe dem Ding recht.«

»Ich versichere dir . . .«

»Hochgradige nervöse Erregung, und sonst nichts. Alle deine Grundreaktionen . . .«

»Und was ist mit den Pantoffeln?«

»Was soll mit den Pantoffeln sein? Was haben sie hiermit zu tun? Du hast sie mit irgend etwas verbrannt, na und?«

»Womit?«

»Mit einem Obstcocktail!« Ev schrie. »Mit Kohlsuppe! Was versuchst du zu beweisen? Voll bis unters Dach mit Spaßvögeln, wie Oleg sagte. Und jeder spielt seine Streiche. Sie wecken dich mitten in der Nacht auf . . . die Geister der Ermordeten, sie sperren kichernd die Leute auf der Toilette ein. Warte nur, was ich dir für eine fette Beruhigungsspritze verpasse!«

Er griff zum Tisch hinüber, nahm aber die Ampulle nicht auf. Anton Ramsey stand im Türrahmen. Er stand da und blickte ihn auf eine Art an, die in Peter den Wunsch zur Flucht hervorrief.

»Also«, sagte der Kapitän, während er auf Ev zuging. »Ich habe eine kurze Frage an dich, als unseren Biologen und medizinischen Offizier. Kann eine Maus, sagen wir, in die vierte Dimension verschwinden?«

»Anton«, sagte Ev, wobei seine Augen sich weiteten, »hast du dich jetzt auch dem Korps der Witzbolde angeschlossen?«

»Der Witzbolde? Ich frage dich, wo die Tiere sind.«

»Die Tiere?«

»Jawohl, die Tiere.«

»Aus Bissera?«

»Aus Bissera.«

»Wo sie hingehören. Weshalb?«

»Nichts. Sie sind nicht da, das ist alles.«

»Nicht da? Worauf willst du hinaus?«

»Das wüßte ich selbst gern.«

»Aber das gibt es doch nicht.«

»Eben.«

»Anton, das ist unmöglich! Was für eine billige Masche!«

Ev wandte sich zu Peter um, als wolle er ihn einladen, an seinem Ärger teilzuhaben, und dann sah er wieder zu dem Kapitän auf – und die Farbe wich aus seinem Gesicht.

Tja, dachte Peter, während er über Evs Schulter auf die Vitalisationskästen blickte, wenn hier jemand den Verstand verloren hat, bin ich das zumindest nicht. Das übertrifft alles!

Über die gesamte Länge des Raumes hinweg lagen große und kleine durchsichtige Sarkophage, die über steuerbare, künstliche Umweltbedingungen verfügten, um die Exemplare aus Bissera in einem Dämmerzustand zu halten. Mindestens ein Drittel der Sarkophage war leer. In jeden war ein eindrucksvoll großes Loch gebrannt worden.

Auf dem Kontrollschirm regnete es, als wollte er sich über sie lustig machen, grüne Lichter, die für die Korrekturmaßnahmen des Vitalisationscomputers standen. Zu spät und irgendwie verdrossen blinkten die Signale, die die Versorgungssysteme überwachten – jetzt, wo es nichts mehr zu überwachen gab.

»Und wie wünschst du dir, daß ich das erkläre?«

Er bekam keine Antwort. Ev war so bleich, daß sein rötlicher Schnauzbart feuerrot wirkte.

»Mach dir keine Gedanken«, sagte der Kapitän und berührte sanft seine Schulter. »Wenn ich nicht irre, sind die Stagen, Aspheten, Trojani, Katuschen und diese, äh . . .«

»Missandras«, flüsterte Ev.

». . . Missandras verschwunden. Die Pseudoschlangen sind noch da. Gibt dir das einen Hinweis?«

Ev schüttelte den Kopf.

»Das Vitalisationsniveau des Schlafzustandes wird in allen hermetisch versiegelten Glocken auf einem mittleren Niveau gehalten, das für die gesamte Gruppe optimal ist.« Er sprach monoton, brachte Stoff an, den er auswendig gelernt hatte. »Daraus folgt: es besteht die Möglichkeit, daß ein einzelnes Exemplar ein höheres Niveau braucht und aufwacht. In diesem Fall aber würde der Rechner das Niveau sofort anheben – was er auch getan hat. Ich verstehe gar nichts. Nur unter einem Funkenregen hätten die Glocken derart durchbrennen können.«

»Kann sein, daß eines von den Geschöpfen . . .«, hob der Kapitän an, doch Ev schüttelte verzweifelt den Kopf.

»Ich habe eins auf dem Schiff gesehen«, sagte Peter plötzlich.

Sie wandten sich simultan zu ihm um. Er erklärte kurz, was es mit seinem Gespenst auf sich gehabt hatte.

»Es muß ein Katusche gewesen sein«, sagte Ev langsam.

»Nein«, gab Peter zurück. »Ich weiß, wie ein Katusche aussieht. Das war etwas anderes.«

»Darauf kommt es nicht an«, sagte der Kapitän sanft. »Du kannst also mit keiner Erklärung dienen, Ev?«

»Mit gar keiner.«

»Schön, wir kommen auch ohne Erklärung zurecht. Ich setze uns auf Alarmstufe vier.«

Am Eingang zum Kontrollraum ergriff Ev den Ellbogen des Kapitäns.

»Ich habe eine Erklärung. Ich wollte sie in Peters Beisein nicht erwähnen.«

»Und?« Ev spürte, wie die Muskeln des Kapitäns sich strafften.

»Die Tiere hätten niemals von sich aus entkommen können, Kapitän. Das ist ausgeschlossen. Es hat sie jemand herausgelassen, Anton.«

»Weißt du, was du da sagst?«

»Deshalb bestehe ich auf einer allgemeinen Überprüfung der Mannschaft.«

Der Kapitän wischte sich den Schweiß von der Stirn.

»Wen hast du im Verdacht?« fragte er.

»Wenn ich ihn nicht gerade untersucht hätte, würde ich sagen, Peter. Aber es ist nicht Peter. Ich denke nicht gern darüber nach, aber irgend jemand hat Oleg ja eingesperrt. Und jemand hat Peters Pantoffeln mit Säure übergossen.«

»Trotzdem, einer allgemeinen Überprüfung werde ich nicht zustimmen«, sagte der Kapitän fest.

»Aber . . .«

»Ev, man löscht kein Feuer dadurch, daß man ruft ›es ist ein Brandstifter unter uns!‹«

An seinem Platz untersuchte Peter derweil ungläubig seinen Arm. Gerade war ihm ein Punkt aufgefallen, wie man ihn nach einer Spritze hat, seine Vene schimmerte bläulich durch die Haut.

»Das ist eigenartig. Ich schätze, ich sollte es ihnen sagen.«

Anfänglich war sich ein jeder sicher gewesen, daß es keine Schwierigkeit darstellen könnte, ein paar törichte Tiere einzufangen, aber diese Illusion wurde ihnen schnell genommen. Die bewohnte Fläche des Raumschiffs nahm einige Quadratkilometer ein, und den Erbauern war nie in den Sinn gekommen, daß aus dem Schiff ein Jagdrevier werden könnte. Ein- oder zweimal gelang es ihnen jedoch, so ein Geschöpf aufzuscheuchen, das dann sofort über ihre Köpfe hinweg und in das Gewirr der Decks, Aufzüge und Laufstege aufflog. Da das einzige fliegende Exemplar von Bissera die Missandra war, mußte es sich natürlich um die Missandra handeln. Aber wo waren die anderen?

Den Vorschlag, die Cyber-Roboter für die Jagd auf die Tiere zu programmieren, hatte Ev sofort abgelehnt – ihm war klar, daß gewöhnliche Roboter gegen Protein, dem Menschen verwandte Materie, nicht ankommen würden. Und die biologischen Roboter, die er eingesetzt hatte, um die Exemplare auf Bissera zusammenzutreiben, nützten in den beengten Gängen des Schiffs gar nichts.

Je mehr Ev darüber nachdachte, desto weniger gefiel ihm die Sache. Die Möglichkeit, daß ein Verrückter die Vitalisationskammern geöffnet hatte, hatte schon etwas für sich. Aber einmal angenommen, jemand hätte die Tiere befreit, was dann? Die Atmosphäre auf Bissera ähnelte der irdischen nicht. Wie atmeten sie dann? Und sie atmeten, das stand fest.

Er teilte seine Gedanken schließlich dem Kapitän mit.

»Wie das?« fragte Ramsey. »Du hast sie untersucht und weißt nicht einmal, was sie atmen können und was nicht?«

»Den Vorwurf machst du mir zu recht, Anton. Aber wer hat denn das Biologieprogramm zusammengestrichen? Ich weiß, ich weiß, es gab einen Notruf von der Erde, man braucht uns, wie immer ganz verzweifelt, in einem genau entgegengesetzten Galaxiequadranten. Was kann ich dafür? Was hätte ich in der verbleibenden Zeit tun sollen? Das ist so ganz typisch! Wir sind ständig in Eile, heute dieser Stern, morgen der andere, zack zack, mehr Arbeit, als wir bewältigen können, keine Zeit anzuhalten und nachzudenken. Glaub nicht, ich wollte die Schuld von mir ablenken, aber . . .«

»Wir haben es eilig, das stimmt. Sonst würden wir heute vielleicht nicht zu den Sternen reisen. Aber wie passen sie sich unserer Atmosphäre an?«

»Durch hochflexiblen Stoffwechsel, nehme ich an. Er ist wirklich sehr flexibel.«

»Na gut, das kannst du untersuchen, wenn wir sie haben. An was für Fallen hast du gedacht?«

Sie erörterten ihre Strategien. In einem fort wurden sie von Mitgliedern des Suchtrupps unterbrochen. »Kapitän, Peter ist auf Spuren von unsichtbaren Tieren gestoßen.«

Peter unterbrach die Übertragung. »Ich habe euch seit langem gesagt, daß wir nicht genug Roboter haben. Sie bewältigen das ganze Staubsaugen nicht mehr.«

»Gut, gut«, lautete die sarkastische Antwort. »Wir verschließen unsere Augen vor der Situation, aber wer schließt die Augen der Kommission?«

»Lacht nicht, Jungs! Das ist kein Staub. Es ist Zigarettenasche. Ich sage euch, die Mechaniker tauchen heimlich.«

»Das sind gar nicht die Mechaniker. Es sind Evs Tiere.

Wenn sie sich befreien können, warum dann nicht auch rauchen?«

Der Kapitän schaltete den Lautsprecher ab.

Er war verärgert. Die Tiere beunruhigten ihn nicht allzusehr – wo konnten sie schon hin –, aber der Gedanke, es könne ein Wahnsinniger an Bord sein … Der Befehl, zu zweit zusammenzubleiben, war mit erstauntem Achselzucken aufgenommen worden. Das ging in Ordnung, dachte er, laß sie nur mit den Achseln zucken, solange den Grund niemand errät. Für alles, was geschah, war der Kapitän verantwortlich, so war es immer und würde es immer bleiben, ganz gleich, welche Entfernungen der Mensch erobern würde, und nur so konnte Ramsey leben – indem er sich um alles kümmerte, alles vorhersah und jeder Lage gewachsen blieb. Er hatte den blinden Zufall ständig im Auge, doch diesmal hatte der blinde Zufall ihn überrumpelt. War das das Warnzeichen, daß er im Begriff war nachzulassen? Der Kapitän war wütend. Nein, nein, er würde beweisen, daß ihm keine Fehler unterliefen.

Wem würde er das beweisen? Den Tieren? Der Situation? Sich selbst?

Ramsey erlangte seine Selbstbeherrschung wieder, und Ev hatte nichts bemerkt.

»Vielleicht kommen wir mit diesem Plan zu besseren Ergebnissen«, sagte er kühl, den Blick auf dem Entwurf. »Du erklärst den Technikern, was du haben willst. Ich stelle die Gruppe zusammen.«

»Es wäre auch nicht schlecht, etwas zu essen. Ich persönlich könnte nach all dem Ärger eine gebratene Missandra zu mir nehmen.«

Als Ev den Kontrollraum verließ, bemerkte er, daß Peter auf ihn wartete.

»Hier«, sagte Peter und zeigte ihm das Mal an seinem Handgelenk. »Lach, wenn du willst, aber ich schwöre, das habe ich mir nicht selbst gespritzt.«

Ev sah hin, und es überlief ihn kalt.

Das Mittagessen begann bei bester Laune, doch die Scherze legten sich schnell, da der Kapitän so schlechter Laune war.

»Was ist mit ihm los?« flüsterte Oleg. »Sollen die Tiere doch herumlaufen!«

»Klar, aber jetzt lacht sich die ganze Galaxis über ihn tot«, erwiderte sein Nachbar.

»Ich glaube, sie lachen eher über Ev.«

»Ich glaube, wir kriegen alle unseren Teil. Hör mal, sind unsere Mädchen heute so stark parfümiert?«

»Das hast du also auch gemerkt?«

»Das würde ein Toter merken.«

Der Kapitän blickte auf.

»Musa!«

»Jawohl, Herr Kapitän!«

»Was ist mit der Klimaanlage? Wo kommt dieser Geruch her?«

»Melde gehorsamst, meiner Auffassung nach hat die weibliche Besatzung . . .«

Lautstarker Protest unterbrach ihn.

»Das ist kein Parfüm!«

»Das reicht!« Es war jetzt sehr still. »Luftkontrolle, sofortige Überwachung . . .«

Der Kapitän konnte seinen Satz nicht zu Ende führen, denn plötzlich erfüllte ein so ekelerregender Gestank den Raum, daß ein jeder aufsprang und Stühle überall über den Boden verstreut lagen. Dann ging die Sirene an.

Ev und Ramsey hatten sich zurückgelehnt und beobachteten all die Fernsehschirme, die eilig im Kontrollraum aufgestellt worden waren. Sie trugen noch immer Gasmasken, obwohl der Gestank so schnell verschwunden war, wie er sich ausgebreitet hatte – eine übelriechende, aber harmlose Mischung, die aus Schwefel- und Bromwasserstoff bestand.

An jedem größeren Kreuzgang in dem Schiff waren Kameras aufgestellt worden, und von der Decke hingen einfache, aber wirkungsvolle Fallen. Sie brauchten bloß sitzenzubleiben und abzuwarten, bis sich einer der Ausreißer auf dem Schirm zeigte.

Minuten vergingen und nichts geschah. Der Lautsprecher schwieg – niemand war zu Scherzen aufgelegt. Alle befanden sich hinter verschlossenen Türen, hielten Waffen umklammert, bewachten die strategischen Punkte des Schiffes und warteten. Worauf, vermochte niemand zu sagen.

»Endlich!«

Ev drückte einen Knopf.

Das Geschöpf auf dem Schirm erstarrte, als spürte es die Falle. Es war zu spät – schon zappelte es in dem geschmeidigen Siliketnetz.

»Den haben wir«, freute sich der Kapitän.

»Mhmmm. Ich wüßte nur gern, was für einen.«

»Was meinst du? Das ist ein Asphet.«

»Ein Asphet mit Flügeln?«

»Mit Flügeln?«

Ja, das Tier, das da im Netz zappelte, besaß Flügel. Wie eine Missandra. Und sechs Extremitäten. Wie ein Asphet. Und einen röhrenförmigen, nackten Schwanz, wie überhaupt keines der Tiere.

»Ev«, flehte der Kapitän. »Du bist Biologe, Ev. Du hast sie gefangen. Erkläre sie mir!«

Evs Gesicht war totenblaß.

»Ev!« Der Kapitän rüttelte ihn an der Schulter.

»Schau!«

Das Tier lag in einer dunklen Kugel auf dem Boden, und nur sein Schwanz zuckte leicht. Nein, er zuckte nicht. Der Unterkiefer des Kapitäns sank herab. Er spaltete sich langsam, aber sicher, in zwei Teile. Der Schwanz verwandelte sich in etwas Scherenähnliches, und die Schneiden waren sehr scharf. Sie schnitten in ein paar Knoten des Netzes ein.

Das ist doch Siliket, dachte der Kapitän.

Der Schwanz ließ von dem Netz ab – es hatte nicht nachgegeben. Jetzt wechselte der Schwanz seine Farbe – von braun zu stahlgrau. Er öffnete sich wieder, und es war offensichtlich, daß die Schneiden kürzer wurden. Die Männer fuhren zusammen, als sie das Siliket reißen hörten. Ein paar Schnitte mit dem nachgiebigen, doppelschneidigen Schwanz, und das Geschöpf schüttelte die Überreste des Netzes ab, und der Schirm war leer.

»Also schön«, sagte Ev und wandte sich an den Kapitän. »Schlag mich! Ich war so ein Idiot! Ich habe es verdient.«

»Du hast das . . . begriffen?«

»Es liegt doch auf der Hand. Sie verformen ihre Körper!« sagte Ev.

»Das habe ich beobachtet. Ich meine, das haben wir beide beobachtet. Aber ich will verdammt sein, wenn ich irgend etwas begriffen habe!«

»Hör zu!« sagte Ev schnell. »Es gibt keine Aspheten, Missandras, und wie sie alle heißen mögen. Sie waren alle dasselbe. Eine vollkommen verschiedene Art von Evolution. Wo war ich vorher mit meinen Gedanken? Das ist phänomenal!«

»Und es überfordert mich«, fügte der Kapitän hinzu. »Wir müssen etwas unternehmen.«

»Du mußt es begreifen, und das wirst du auch. Setz dich! Auf der Erde ist ein Wolf immer ein Wolf, ein Rebhuhn immer ein Rebhuhn und eine Amöbe immer eine Amöbe. Aber ihre Körper bestehen, im Grunde genommen, aus denselben Zellen, und ihre Biochemie ist ähnlich. Sie sind Teil eines Ganzen. Wie eine Kanne, ein Glas, ein Spiegel . . .«

»Spiegel?«

»Ja, sie sind alle aus Glas. Die Evolution auf der Erde hat eine einzige biologische Einheit in tausende unabhängiger Formen aufgespalten. Und hier sind die Formen eben wandlungsfähig. Auf Bissera kann aus einem Elefanten ein Wal werden, oder eine Herde Kaninchen, denn sie sind alle ein- und dasselbe. Ein Organismus, der seinen Körper je nach Belieben und in etwas Beliebiges verwandeln kann. Auf Befehl des Nervensystems.«

»Auf Befehl?«

»Genau. Auf der Erde haben äußere Umstände die Materie

auf die eine oder andere Weise geformt. Langsam aber sicher entwickelte sie sich zu unterschiedlichen Formen. Hier geschieht das, wie wir gesehen haben, schnell und umfassend. Und das erklärt alles! Dieser eine, einzige Organismus erwachte. Er erwachte, und ihm wuchs – ein anderes Wort fällt mir dafür nicht ein – ein Gegenmittel. Es wuchs ihm, so wie wir zu dem richtigen Werkzeug, zu der richtigen Waffe greifen, um uns aus der Gefangenschaft zu befreien. Und er hat die anderen befreit.«

»Das bedeutet, es hat keinen Verrückten gegeben.« Der Kapitän seufzte erleichtert auf.

»Freu dich nicht zu früh! Es gibt nur eine Schlußfolgerung.«

»Bist du da sicher? Vielleicht liegt das in seiner Natur.«

»So schnell und bewußt? Sehen wir den Tatsachen ins Auge, Anton. Wir haben es mit Intelligenz zu tun.«

»Intelligenz?« Der Kapitän sah auf seine geballten Fäuste hinab. »Es will mir nicht in den Kopf. Wir hätten uns doch nicht so ungeheuerlich irren können.«

»Doch. ›Beeilung, Beeilung, da kommen wir schon noch hinter! Hier gibt's bloß Tiere, alles ganz einfach, wieso Zeit vergeuden?‹ So bin ich vorgegangen, Anton. Und die Roboter lassen den Opfern keine Chance, zu reagieren. Ein schneller Sprung, ein Schuß Beruhigungsmittel, und schon sind sie in Gefangenschaft.«

»Aber es gab auf Bissera keine Anzeichen einer Zivilisation!«

»Stimmt, es gibt keine Städte, keine Maschinen, keine Straßen. Aber wieso sollten Geschöpfe, die ihre Körper je nach Bedarf zu Maschinen, Ausrüstung und Baustoff machen können, so etwas errichten wollen?«

»Unmöglich, Ev. Lebendige Materie kann einer entwickelten Zivilisation unmöglich alles geben, was sie braucht.«

»So? Als wären Strahltriebwerke, Medikamente, Radar und Energiezellen nicht schon in der Natur vorhanden gewesen, bis wir sie entdeckten! Kannst du dir vorstellen, wozu lebendige Materie imstande ist, wenn sie von Intelligenz geleitet wird? Diese von unserem Standpunkt aus lächerliche und unmögliche Zivilisation ist vielleicht viel fortgeschrittener als unsere eigene. Ich hätte mich nicht unter der Glasglocke befreien können, und du auch nicht. Nicht, weil ich dumm wäre, sondern weil ich ohne eine Maschine, ohne Gerät und Kontrollinstrumente nichts darstelle. Und sie haben all das die ganze Zeit über bei sich gehabt. An Peter haben sie übrigens Versuche durchgeführt, während er schlief. Während wir sie nicht ernst nahmen, hätten sie uns vergiften können. Was schüttelst du den Kopf? Ist der Gedanke an einen Verrückten dir jetzt angenehmer?«

»Er wäre mir lieber als das, wovon du sprichst. Ihr Verhalten auf diesem Schiff scheint zumindest nicht besonders vernünftig.«

»Auch unser Vorgehen hat nicht gerade vor Weisheit gestrotzt.«

»Interplanetarer Krieg auf einem Raumschiff, das hat uns noch gefehlt. Laß uns einen Versuch machen und sehen, ob sie intelligent sind!«

Doch der Test ergab nichts. All die routinetechnischen Arten der Kontaktaufnahme waren zwecklos; ihre theoretisch hundertprozentige Verläßlichkeit verpuffte in die Weite des Raumschiffs. Die Spannung stieg. Jeden beunruhigte dieselbe Frage. Begreifen sie nicht, oder wollen sie nicht begreifen? Was hatte ihr Verhalten zu bedeuten? Vielleicht war Peters Zusammentreffen mit dem »Gespenst« ein Zufall gewesen. Aber hatten sie ihn auch durch Zufall im Schlaf aufgesucht? Und warum? Um eine Blutprobe zu entnehmen? Oder um festzustellen, ob der Mensch genießbar war? Und was hatten seine Pantoffeln damit zu tun? Und die versperrte Tür? Es ergab ganz einfach keinen Sinn.

Und wo hielten sie sich verborgen?

Auf dem Schiff war es stiller als je zuvor. Keine Schritte, keine Stimmen, nur die Stille des Niemandslandes, in dem jeden Moment das Gefecht ausbrechen konnte. Die Zeit zog sich in die Länge, und mit ihr verschwand die Hoffnung auf eine friedliche Regelung.

Am Abend kam es zu einer Krise. Die Fernsehschirme, die der Kapitän und der Biologe immer noch besetzt hielten, gaben nacheinander ihren Geist auf. Sie erloschen einer nach dem anderen wie Kerzen im Wind.

Der Augenblick, den sie alle erwartet und befürchtet hatten, war gekommen.

Den Kopf in die Hände gestützt, starrte der Kapitän ausdruckslos auf den Schirm. Er wußte, auf welche Befehle sie warteten. Auf den Befehl, mit Zerfallwerfern anzugreifen, die Ausreißer, ganz gleich, wo sie sich versteckt hielten, über die Wände zu verschmieren. Bevor es zu spät war. Solange noch Zeit war. Aber war noch Zeit?

Aber der Kapitän war sich ebenfalls sicher, daß die Erde und die Mannschaft und er selbst sich ein Schlachtfest nie verzeihen würden, wenn Ev, was die Intelligenz ihrer Gegenspieler betraf, recht hatte. Wenn alles vorbei war, wenn die schreckliche Unsicherheit hinter ihnen lag, würden die Leute zu sich kommen. Die Furcht würde vergessen sein, und Zerknirschung und Bitterkeit würde an ihre Stelle treten, denn die Vernichtung der unbekannten Geschöpfe würde auch das Ende der menschlichen Gewißheit bedeuten, daß man alles, was man antraf, zu begreifen imstande war. Der Gewißheit, die bis dahin ihre Berechtigung und den Menschen in den Sternenwelten Mut verliehen hatte. Und auch ihr Glaube an die Menschlichkeit würde untergehen.

Der Kapitän war verzweifelt, und seine Verzweiflung war im Begriff, sich in Wut auf Ev und all die Theoretiker zu verwandeln, die Vorhersagen machen sollten und sich dann als blind erwiesen, die da Auswege entwickeln sollten und sie dann in die Sackgasse führten. Diese Wut war es schließlich, die ihn veranlaßte, den Befehl zu geben, wußte er doch, daß eine Fehlentscheidung in einer gefährlichen Lage immer noch besser als Untätigkeit war. Seine Finger berührten den Knopf der Sprechanlage.

»Warte!« rief Ev. »Ich glaube, ich bin dahintergekommen.«

»Beeil dich!«

»Wir müssen die übrigen Tiere freilassen!«

»Wie bitte?«

»Hör zu, sie haben die Partie eröffnet, stimmt's?«

»Und?« Sein Finger lag noch immer auf dem Knopf.

»Und wie haben wir reagiert? Mit einer Treibjagd. Als Antwort darauf haben sie uns gehörig den Schneid abgekauft. Und was taten wir? Wir stellten Fallen auf. Was taten sie da?«

»Worauf willst du hinaus?«

»Darauf, daß jeder Schritt, den wir taten, für sie eine direkte und ernstzunehmende Gefahr darstellte. Und jeder ihrer Schritte stellte zur Antwort mehr eine Drohung denn eine wirkliche Gefahr dar. Unser Feind kommt gar nicht aus dem Bauch der Hölle, es ist nur unser Mangel an Verständnis und unsere Angst, die ihn dahin gebracht haben.«

»Ich wäre glücklicher, wenn das nicht nur Theorien wären.«

»Das sind sie nicht. Unsere Strategie für die Kontaktaufnahme basierte auf falschen Voraussetzungen, aber noch ist gegenseitiges Verständnis möglich. Wir haben versucht, zu ihnen auf der Ebene geistiger Abstraktionen, wissenschaftlicher Konzepte, Kontakt aufzunehmen, wo doch aus ihrer Sicht wir der Feind aus dem Bauch der Hölle sind. Wir müssen an die Wurzel gehen, an die Wurzel des Problems! Es gibt eine Grundtatsache, die für alles Lebendige gilt. Für jede Lebensform ist das Böse das, was ihr Bestehen bedroht oder behindert; gut ist alles, was ihr förderlich ist. Das ist überall so, unter jeder Sonne. Es ist so einleuchtend wie zweimal zwei, denn sonst würde, wenn das Gegenteil wahr wäre, das Leben sich selbst zur Zerstörung verdammen. Keine Zivilisation ist in der Lage, ihren Maßstab für Gut und Böse zu verändern, ohne dafür zu bezahlen. Wir haben also noch eine Chance, keine große zwar, doch wir müssen es versuchen. Also entscheide dich!«

Der Kapitän dachte nach.

»Wirst du es selbst machen?« Seine Stimme schwankte.

»Ja.«

»Du kommst vielleicht nicht zurück.«

»Ich habe euch das eingebrockt.«

Die Muskeln in seinem Nacken waren steif vor Spannung, aber Ev wandte sich nicht um. Die ganze Zeit über spürte er Blicke auf sich, sogar an Stellen, wo sich nichts hätte verstecken können, das größer als eine Maus war.

Es erforderte seine ganze Willenskraft, langsam zu gehen. Er ging die vertrauten Laufstege entlang, die jetzt seltsam und endlos erschienen. Gehen konnte man es im Grunde nicht nennen – er balancierte auf einer zerbrechlichen Brücke aus Hoffnungen und unbegründeten Annahmen, die jeden Augenblick zusammenbrechen konnte. Nun, er war nicht der erste Mensch, der die Tragfähigkeit seiner Theorien auf diese Weise prüfte.

Nach der dritten oder vierten Kreuzung mußte er stehenbleiben, weil in der Wand ein Loch klaffte. So also umgingen sie die Fallen. Beim Gedanken an all die wichtigen Verdrahtungen und Verbindungen in diesen Wänden erschauderte Ev. Auf dem Boden lag ein Häufchen Metallstaub. Ev stellte sich auf die Zehenspitzen und blickte hinein. Was er sah, war erschreckend. Keine einzige Rohrleitung war beschädigt worden, aber sie waren alle sorgfältig freigelegt, wie Blutgefäße und Sehnen auf einem Operationstisch.

Und wir dachten, wir könnten sie jederzeit zerquetschen, wie Fliegen. Aber weshalb, weshalb lassen sie zu, daß ich das sehe?

Weil es keinen Unterschied macht, beantwortete Ev seine eigene Frage. Weil sie unseren ersten Versuch, dies Loch zu schließen, lähmen werden – sie hemmen die Homöostatikkreise und die Maschinen.

Besser, man dachte gar nicht erst daran.

Er sah noch zwei weitere Löcher in den Wänden, bevor er die massive Tür zu der Vitalisationskammer erreichte. Er schob sie zurück und begann, ohne eine Sekunde zu verschwenden, mit der Wiederbelebung der Pseudoschlangen. Während er die Anlage bediente, um in dem Raum die Atmosphäre von Bissera wiederherzustellen, rechnete er ständig damit, daß sich die Tür, die er offengelassen hatte, hinter ihm schließen würde.

Und als er fertig war, als die Tiere in die dunklen Ecken geschlüpft und sich verkrochen hatten, hatte er das Bedürfnis, sich mit dem Rücken an die Wand zu lehnen und die Augen zu schließen.

Doch er hatte noch zu tun. Die Fallen beseitigen. Eine letzte, freundliche Geste. Würden sie das als Kapitulation akzeptieren?

Ev ließ den Blick über die freigelassenen Tiere schweifen. Irgend etwas atmete schwer hinter der Abdeckung. Die übrigen saßen reglos, als wären sie gar nicht da. Die Pumpen, die die Luft eines anderen Planeten einließen, zischten im Takt. Die armen Wesen, vor Furcht gelähmt, die niedrigsten Geschöpfe eines fremden Planeten. Und wie war es den höheren, den intelligenten Geschöpfen ergangen? Etwas Ungeheuerliches war dort unten über sie gekommen, wo sie sich vollkommen sicher gefühlt, sich um ihre Angelegenheiten gekümmert und nichts Böses geahnt hatten – da war plötzlich dieser schreckliche Schatten gewesen, der sich im allerletzten Augenblick vom Himmel auf sie herabgesenkt hatte. Dann der Schrecken, die Finsternis und das Erwachen an einem unbekannten Ort, in einer fremden, feindlichen Welt.

Natürlich waren ihre ersten Handlungen sinnlos, dachte Ev, als er die Tür schloß. Nun, vielleicht waren sie bloß aus unserer Sicht sinnlos. Auf jeden Fall hatten sie sich ihren Verstand bewahrt. Das heißt, daß noch nicht alles verloren ist. Für sie ... und vielleicht für uns.

Er unterbrach seine Gedanken. Dafür, daß sie seine Handlungsweise richtig ausgelegt hatten, gab es keinen Beweis.

Keinen? Aber er lebte noch! Hätte er sich in der gleichen Lage so in der Gewalt gehabt, oder wäre er der Versuchung erlegen, sich des Feindes zu entledigen?

Eine Zivilisation, die der unsrigen diametral entgegengesetzt war. Nach innen gewandt. Eine Welt, die für uns fest verschlossen blieb, denn wie es möglich ist, seinen gesamten Bedarf aus dem eigenen Körper zu decken, ist uns unverständlich, und für sie ist eine andere Art zu leben offensichtlich nicht vorstellbar.

Wie dem auch sei, einen alleinigen Maßstab gab es im Universum nicht.

Noch sieben Fallen hatte er vor sich. Dann fünf. Zwei. Keine mehr.

Erschöpft trat Ev den Rückweg an, noch immer von den unsichtbaren Augen verfolgt. Nichts hatte sich verändert.

Doch. Die Löcher, an denen er vorbeigekommen war, klafften noch immer – bis auf das letzte. Es war so sauber verschlossen worden, daß nur der Glanz neuen Metalls die Stelle verriet.

Das Raumschiff beschrieb einen weiten Bogen im All und machte sich auf den Weg zurück nach Bissera.

NICHTS ALS EIS

Wir waren unterwegs, um einen Stern in die Luft zu jagen.

Romantiker und Freunde des Abenteuers brauchen nicht erst weiterzulesen. Nichts daran ist geeignet, die Phantasie zu beflügeln. Der grundlegende Plan ist folgender: Der Flug hin und zurück dauert vierzig Jahre. Dazu kommen ein oder zwei Jahre für das Projekt. Mittels Anabiose waren wir imstande, neun Zehntel der Zeit über zu schlafen, so daß wir alle als verhältnismäßig junge Leute zur Erde zurückkehren konnten. Aber die Wissenschaft, die Kunst und das Leben selbst hätten während unserer Abwesenheit so bedeutende Fortschritte gemacht, daß wir bei unserer Rückkehr völlig außerhalb von allem stehen würden.

Doch das ging in Ordnung. Das machte nichts. Wir würden die uns verbleibenden Tage friedlich und in Ruhe zubringen und uns in unserem Ruhm sonnen. Letzte Tage, die sehr lang werden würden. Weshalb, glauben Sie, machte sich Amundsen, als sein Stern zu sinken begann, plötzlich auf die hektische Suche nach Nobile, einem Mann, mit dem er nicht einmal großartig etwas anfangen konnte? Weil er ein Mann der Tat war, der Sieg und Risiko in vollen Zügen ausgekostet hatte und ein langes, hochgeehrtes und farbloses Alter nicht ertrug.

Sie werden vielleicht denken, daß uns im Weltraum aufregende Ereignisse, außerordentliche Forschungsvorhaben oder Abenteuer erwarteten, die es uns ermöglichten, unseren Mut unter Beweis zu stellen? Nicht im geringsten. Bei unserer Arbeit waren Techniker gefragt, keine Helden. Schlicht und einfach sehr fleißige und sorgfältige Arbeiter, deren Sache es nicht war, Risiken einzugehen oder selbständig zu handeln. Andernfalls wären wir nicht imstande, das Projekt zu Ende zu führen.

Ihnen ist natürlich klar, weshalb Projekt hier großgeschrieben wird. Sie wissen, daß Raumschiffe, so widersinnig sich das auch anhören mag, für den interstellaren Verkehr nicht brauchbar sind. Bei Durchschnittsgeschwindigkeiten von, sagen wir, 200 000 Kilometer pro Sekunde erforderte ein Flug zu den nächsten Sternen Jahrzehnte. Geschwindigkeiten nahe Lichtgeschwindigkeiten machen es möglich, das andere Ende der Galaxis zu erreichen. Aber hier macht sich das Einstein'sche Paradoxon bemerkbar: ein Jahr an Bord des Schiffes entspricht dann nach Erdenzeit Jahrhunderten. Und das macht das Ganze lächerlich. In beiden Fällen ist es dem Menschen lediglich gegeben, sich im Bereich der Sonne aufzuhalten, während abertausende verführerischer und unerreichbarer Welten ringsum locken.

Die Ausführung und Verwirklichung des Projekts aber würde die Tür zu anderen Galaxien aufstoßen. Der Theorie zufolge würde ein momentanes Freisetzen von Energie, entsprechend etwa der eines Sterns, einen Zeit-Raumtunnel erzeugen, den ein Raumschiff benutzen konnte, ohne daß die Besatzungen gefährdet oder paradoxe Konsequenzen auftreten würden.

Aber all das mußte ausprobiert werden. Natürlich nicht auf der Erde und nicht in der Nähe des Sonnensystems, das bei einem solchen Versuch vielleicht zerstört worden wäre. Und die Technologie, um die Vernichtungswerfer in sichere Entfernung zu schleppen, hatten wir nicht. Es gab nur eine Möglichkeit – die, einen Stern vermittels Laser in die Luft zu jagen und zuzusehen, was passieren würde.

Es ging auch nicht mit jedem Stern. Zu allem anderen gab es, innerhalb des Maßstabs des für uns Möglichen, nur einen Stern, der allen Anforderungen entsprach. Und auf den bewegten wir uns zu.

Ich bin sicher, daß phantasievolle Beschreibungen von interstellaren Reisen in der Science Fiction des letzten Jahrhunderts manches Herz haben aussetzen lassen. Ich möchte wirklich nicht, daß mein Bericht hier alle Illusionen zerstört, aber die Wahrheit bleibt die Wahrheit: nichts ist langweiliger als der Sternenflug.

Urteilen Sie selbst. Vielleicht ist Ihnen aufgefallen, daß die

Bewegung auf vertrauten, eingefahrenen Pfaden die Tage zu einem grauen Schleier verschwimmen läßt. Woran man sich erinnert, sind schließlich die Dinge, die sich vom Alltag abheben, und wo sie sich ereignen, spielt keine Rolle – ob zu Hause oder auf einem Raumschiff. Nur ist auf einem Raumschiff alles noch viel eintöniger, denn auf den Bildschirmen zeigt sich das Unerwartete viel seltener als am Wohnzimmerfenster, und zufällige Begegnungen oder neue Gesichter gibt es an Bord einfach nicht. Folglich sind die Monate, die man außerhalb der Anabiose verbringt, außerordentlich langweilig.

Ein Schriftsteller oder Psychologe würde vermutlich eine Menge finden, das ihn interessiert. Die verrückte Spielleidenschaft beispielsweise, die sogar Timmerman überkam, den Schöpfer der Projekttheorie, der sich zu Hause auf der Erde niemals zu einem solchen Unsinn herablassen würde. Aber nahezu jeder hatte seine persönlichen, harmlosen Eigenschaften entwickelt. Zu meiner Überraschung interessierte ich mich allmählich für Numismatik, da ich entdeckt hatte, daß das Sammeln alter Messing-, Silber- und Goldmünzen sogar im Geiste unsäglich attraktiv war. Und wissen Sie, was ich zu tun pflegte, wo es doch an Bord keine Bücher über Numismatik gab? Sie werden mir das nicht glauben, weil es auch mir schwerfällt: ich durchsuchte die Romane und Nachschlagewerke, die wir besaßen, nach Hinweisen auf Münzen, stürzte mich auf jede Bemerkung bezüglich ihres Aussehens, ihrer Größe und der Abbildungen auf Kopf und Rückseite. Nie hatte ich vermutet, welche Musik in den Worten »Tetradrachme mit Athenischer Eule« oder »Konstantinischer Rubel« liegt.

Aber ich schweife ab. Es ist an der Zeit, Ihnen über unser einziges Abenteuer zu berichten, was einem Abenteuer nicht im geringsten ähnelt – einmal abgesehen von dem Element des Unerwarteten.

Der Stern, auf den wir uns zubewegten, war so unwesentlich, daß er bis dahin lediglich mit einer Nummer katalogisiert worden war. Vor dem Start hatte jemand vorgeschlagen, ihm einen Namen zu geben, doch der Vorschlag war abgelehnt worden, ohne daß jemand dafür mit einem guten Grund hätte dienen können. Ich nehme an, daß hier ein alter Aberglaube am Werk war. Es schien sinnlos, ihm irgendeinen neutralen Namen zu verleihen, aber ihn ›Hoffnung‹ oder so ähnlich zu nennen . . . nein, da war es schon besser, alles beim alten zu lassen.

Aber alles entwickelt sich seinen eigenen Gesetzen gemäß, und da kein normaler Mensch ein paar Dutzend Mal am Tag eine vielstellige Zahl wiederholt, wurde der Stern schließlich ›Namenlos‹ genannt.

Innerhalb seines Systems hatten wir eine Menge zu tun. Wir mußten die Lasergeneratoren in eine Umlaufbahn um den Stern bringen, die Meßgeräte eichen und abstimmen, alle möglichen Arten von Vorausdaten sammeln und schließlich – im allerletzten Augenblick – den Robotaufklärer starten, der in den Zeit-Raumtunnel vordringen würde. Und hunderte anderer Dinge waren zu erledigen.

Darunter befand sich auch die Erforschung der Planeten von Namenlos. Es waren ihrer nur vier. Die beiden Gasriesen, ähnlich dem Jupiter, waren von geringem Interesse, da wir auf ihnen nicht landen konnten. Der uns am nächsten befindliche, ein kleiner, öder Planet, war ungefähr so faszinierend wie eine Halde von Schlacke. Und der letzte war sogar noch schlimmer – ein Eisberg aus gefrorenem Gas, nur ein unnützer Eiszapfen, der da am Rande des Sonnensystems hing.

Aber er wirkte immer noch interessanter als der ständige Blick auf die starr leuchtenden Sterne und die Schiffsunterkünfte, die mir vertraut waren wie meine Hosentaschen. Wir brannten alle darauf, an der Erforschung der todgeweihten Planeten teilzunehmen, und ich hatte das Glück, für den Aufklärungstrupp ausgewählt zu werden.

Wir landeten – und waren überwältigt.

Wir befanden uns in einer blauweißen Welt, umgeben von spiegelnden Felsen, silbernen Kristalltürmen, Vorsprüngen, Torbögen, Gewölben aus Filigrangeflecht, Rundbauten, Galerien und Säulen. Es war Gotik und Rokoko, das Tadsch Mahal und Kisch, alles, was architektonisches Genie je geschaffen hatte und wohl je in der Zukunft zu schaffen imstande war.

Gebilde aus Eis sind ohnehin eindrucksvoll, aber auf diesem Planeten war die Schwerkraft geringer als auf der Erde, und das Material war komplexer und vielfältiger. Die Bogengänge schienen zu fliegen; es gelang einfach nicht, sie sich bewegungslos vorzustellen, denn ein einziger Moment der Ruhe hätte sie zum Einsturz gebracht. Da ruhten weit ausladende Gewölbe auf gläsernen Säulen, und im Schatten der hängenden Gesimse stieß man vielleicht auf ein Notre Dame. Die überhängenden Eismassen erinnerten mich an flugbereite Schmetterlinge; in den schlanken Platten von durchschimmerndem Eis zeigt ihre Gestalt sich zweifach.

Doch das war nicht alles, was die Landschaft einzigartig machte. Der Himmel über dem Planeten war im allgemeinen düster. Doch dann und wann klarte er sich auf, und dann veränderte der Stern – aus welchen Gründen, fanden wir nie heraus – sich am Himmel auf ganz dramatische Art.

Sein Licht begann sich zu zerstreuen, wie wenn Wasser in einem Schlauch von einem Daumen zusammengedrückt wird. Im Fallen erzeugten die Lichtstrahlen Regenbögen. Von den Ritzen, Spalten und Abhängen wurde ein Funkeln zurückgeworfen. Die Spiegelungen erfüllten, Hunderte von Malen reflektiert, die Luft mit tanzendem Licht. Unsere Augen, an matte Farben gewöhnt, vermochten es fast nicht zu ertragen.

Das Eis begann zu zerfließen und sich mit Licht zu füllen. Ganze Ketten wundersamer Gebäude erhoben sich darin und verwandelten sich. Städte in Spektralfarben, die erstrahlten, anwuchsen, Denkmalsgestalt annahmen, dahinschwanden, sich wandelten und neu erstanden, waren überall, eingehüllt in Regenbögen. Es handelte sich um eine Kunstform aus der vierten, fünften, oder sonst einer wilden, verzauberten Dimension.

Stunden vergingen, ohne daß wir Messungen vorgenommen oder Beobachtungen niedergeschrieben hätten; wir waren einfach nicht imstande, irgend etwas zu unternehmen. Wir waren von einem Gefühl gefangengenommen, das uns mehr verspüren ließ als einfache Verzückung oder nur Glück. Selbstverständlich war all das vom Raumschiff aus zu sehen, doch zum ersten Mal in der Geschichte der Forschungsreisen ins All erinnerte uns niemand an unsere Verpflichtungen.

Als wir dann zurückkehrten, verlief alles so, als wenn nichts gewesen wäre. Als habe dort nichts stattgefunden.

Mitunter beneide ich diejenigen, die in früheren Zeiten lebten. Mit welcher Unmittelbarkeit sie zu handeln vermochten! »Das Blut stieg ihm zu Kopfe, und er riß sein Schwert aus der Scheide . . .« Natürlich war auch damals alles nicht gar so einfach, aber zumindest ging es bei den Entscheidungen um ein Stück Brot, um die Befriedigung von Bedürfnissen und die Verteidigung der persönlichen Sicherheit, und es bestand ein über Generationen hinweg entwickelter Verhaltenskodex, der dem Menschen, da das Leben selbst sich nicht so schnell wandelte, in einer Vielzahl von Situationen dienlich war. Dann wurde das Leben komplexer, und damit auch die Reaktionen. Der Mensch sah sich gezwungen, seine elementaren Reaktionen zu verdrängen, weil sie unter den neuen Bedingungen alles nur schlimmer machten.

Wir alle waren von dem Planeten verwirrt wie nie zuvor, und wir standen vor einer tragischen Entscheidung. Aber was hätte ein Gefühlsausbruch genützt? Er hätte nur zu Konflikten geführt, und Streitigkeiten an Bord sind gefährlicher als Feuer. Alles mußte ruhig, in aller Stille, allein, durchdacht werden, und es galt alle möglichen Folgen in Betracht zu ziehen. Wir hatten Zeit genug. Wir waren so ausgebildet worden – es war auf Raumschiffen, wo die ganze Gruppe vom Verhalten des einzelnen abhing, die einzig mögliche Art. In gewissem Sinne stellten wir einen einzigen Verstand dar. Ich werde die persönlichen Gefühle der Expeditionsmitglieder aus diesem Grund nicht beschreiben – wer still und wer mürrisch war, wer zu lächeln bemüht. Das alles ist, im Vergleich zu der unangenehmen Aufgabe, die unserer harrte, zweitrangig.

Indem wir den Stern zur Explosion brachten, würden wir den Planeten zerstören. Wir würden ein Meisterwerk der Natur, das nirgendwo seinesgleichen fand, eigenhändig vernichten müssen.

Es war, als würde man sich um die Farben des Sonnenuntergangs bringen. Wir würden die Menschheit, die nicht einmal wußte, was ihr da entging, ärmer machen.

War das Projekt das wert?

Das Projekt würde uns ein Schlüssel zum Weltraum sein. Indem wir einen schönen Planeten vernichteten, würden wir zum Ausgleich Millionen anderer bekommen. Das erledigte die Zweifel!

Es stimmte, doch die Natur wiederholt sich nicht. Die Schönheit, die hier verging, würden wir nie wiederfinden.

Auf der anderen Seite, was war denn dieser Planet? Er war schön, und ihn zu betrachten ein grenzenloses Vergnügen. Aber schließlich handelte es sich bloß um Eis, um nichts als Eis, wogegen der Nutzen des Projekts Wirklichkeit war. Gleich, wie sehr unser Empfinden auch rebellieren nochte!

Doch unser materielles Interesse würde keinen Schaden nehmen, gleich, ob wir die Galaxie nun eroberten oder nicht. Das hieß, daß das Projekt nur der Befriedigung unserer intellektuellen Neugier diente, und sonst nichts. Und mußten wir deshalb den Planeten zerstören? Weil wir ein Bedürfnis für wertvoller als das andere hielten?

Aber was war denn wertvoller? Hätten wir zu Beginn des einundzwanzigsten Jahrhunderts nicht den Weltraum zu beherrschen gelernt, befände sich noch immer Industrie dichtgedrängt auf der Erdoberfläche. Was zu deren Überhitzung führen würde. Die Ausdehnung in den Weltraum war lebensnotwendig. Und dieselbe Art von Notwendigkeit motivierte uns, selbst wenn ich sie nicht zu erfassen vermochte, auch jetzt.

All das war logisch. Doch hätte man uns vor die Wahl gestellt, entweder die Niederlassungen auf dem Mond oder unsere mondhellen Nächte zu verlieren, wofür würden wir uns entscheiden?

So verbrachte ich meine schlaflose Nacht.

Wer hat Verwendung für einen zauberhaften, wundervollen Planeten, wenn er seinen Lebtag braucht, um ihn zu erreichen?

Es war, als ginge ein frischer Wind durch meine Kabine, als ich auf das entscheidende Argument stieß.

Entscheiden? Mit dem Projekt wären Entfernungen wie diese gar nichts. Und die Frage, die sich dann erhob, lautete: zu welchem Preis war das erreicht worden?

Was die Leute dann denken würden, war leicht vorstellbar. Weshalb konnten wir nicht einfach zurückkehren und über die veränderte Sachlage berichten? Man würde irgendeine andere Möglichkeit finden; vielleicht würden wir erst hundert Jahre später in die Galaxie ausweichen, aber gelingen würde es uns. Und ohne einen solchen Preis zu zahlen.

Warum mußten wir die Entscheidung allein treffen?

Weil ...

Es war ein schrecklicher Gedanke, und ich verscheuchte ihn. Er kehrte natürlich zurück. Wer hatte das größte Interesse daran, daß das Projekt Wirklichkeit wurde? Wir. Denn wir hatten ihm unser Leben gewidmet. War dieser Beweggrund nicht gewichtiger als alle anderen Überlegungen?

Die Leute würden das nicht aussprechen, aber sie dächten daran. Und sie hätten recht.

Und rein objektiv betrachtet? Gut, die Schönheit hat keinen Wert und läßt sich theoretisch opfern. Praktisch denkende Menschen hatten es über die Zeiten hinweg an jeder Ecke getan. In der Vergangenheit. Und dann kam die Zeit, da dafür bezahlt wurde. Für die vergifteten Flüsse, die gerodeten Wälder, die verödeten Landschaften. Wir hatten eine bittere Lektion ererbt, und wir schworen uns: nie wieder, ganz gleich unter welchen Bedingungen.

Niemals? Ganz gleich, unter welchen Bedingungen? Extremismus ist immer ein Fehler. Die Galaxis, mit ihren Millionen von Planeten und Sternen, ist ein Ventil für die menschliche

Energie, ist Rettung vor dem Stillstand, ist grenzenlose Weiterentwicklung. In den Panoramen, die sich in ihr eröffnen, werden wir Dinge finden, von denen wir nie geträumt hätten. Erstaunliche Welten, unvorstellbare Formen des Lebens, die Weisheit anderer Zivilisationen. Sollten wir uns da abwenden und gehen, damit alles hundert Jahre später doch stattfand?

Nicht gerade wahnsinnig viel, hundert Jahre!

Eben. Hätte jemand die Verbreitung der Dampfmaschine um hundert Jahre verschoben, wo wären wir dann jetzt?

Eine Entscheidung, die alle zufriedenstellte, gab es nicht.

Wir verstanden einander so gut, daß uns auch ohne Debatte klar war, daß alles durchdacht worden und von niemandem ein Ausweg gefunden worden war. Und es war an der Zeit, die Entscheidung zu fällen, denn wir begannen, uns zu verschleißen.

In der guten alten Zeit hatte man einen Ausweg. Da sagte der Führer ja, und die übrigen fielen ein und beruhigten ihr Gewissen damit, daß der Führer es schon besser wissen würde. Bei uns gab es niemanden, dem wir den Schwarzen Peter hätten zuschieben können – das war die Norm unserer Zeit.

Der Psychologe leitete die Debatte ein. Aus irgendeinem Grund schlug er vor, wir sollten uns das, was wir auf dem Planeten gesehen hatten, auf Stereo-Videoband anschauen.

Niemand war dagegen, und viele fühlten Hoffnung in sich aufsteigen. Er mußte einen guten Grund haben. Vielleicht war er auf einen Ausweg gestoßen.

Unser Mittagessen stand unberührt vor uns. Die spektralfarbenen Städte erhoben sich und tauchten vor unseren Augen auf, und ein farbiges Wunder fand vor uns statt, unendlich mitreißend, es erfüllte uns mit Verzückung und Glück. Das Band gab nicht alles wieder, und dennoch . . . Ein Löffel klirrte leise und zerrte an unseren Nerven.

Flimmernd erschien das letzte Bild, und einige Augenblicke lang vermochten wir nicht zu sagen, was wirklicher war – der Raum mit dem Tisch und der Mahlzeit oder die Größe dessen, was wir gesehen hatten.

Die Stimme des Psychologen riß uns aus unseren Träumen.

»Ich muß euch enttäuschen. Was ich vorzuschlagen habe, ist kein Ausweg, aber ... drückt auf den Knopf und die Bänder sind verschwunden, als hätten sie nie existiert. Und euer Gedächtnis kann ich ebenfalls von dem Planeten säubern. Und wo es keine Erinnerung gibt, gibt es auch keinen Schmerz, stimmt's? Wir werden das Projekt zu Ende führen, die Welt wird nie erfahren, was sie verlor, und niemand wird an Schuldgefühlen leiden. Soll ich löschen?«

Schweigen. Dann:

»Nein. Wir werden uns alle erinnern. Nicht löschen!«

Es war das erste Mal, daß ich die Gesichter der Kameraden von Schmerz gepeinigt sah. Trotz allem, was ich über Gefühle gesagt habe, bleibt die Natur doch, was sie ist.

Doch die Rufe erstarben, der Psychologe legte voll Betroffenheit die Hände zusammen, und wir alle fanden zu unserem Normalzustand zurück.

Dann trafen wir, zumindest oberflächlich kühl und gelassen, unsere Entscheidung.

Sie wissen, wie diese Entscheidung ausfiel.

DER SCHNEE DES OLYMP

Fast fünfundzwanzig Kilometer des Berghangs lagen im blauschimmernden Dunst, im orangefarbenen Glanz der Morgendämmerung, hinter ihnen, und die verbleibende Strecke verlor sich himmelwärts in weitem Bogen.

Während sie hartnäckig höher gestiegen und, wie es schien, ihrem Ziel gar nicht näher gekommen waren, hatten Vukolow und Omrin lange Zeit den Hang vor Augen gehabt, den Hang ganz allein. Eintönig zog der öde Pfad sich gen Himmel, auf die fernen und funkelnden Sterne zu. Erst als sie an dem Kamm innehielten, erblickten sie die ungeheure, schwindelerregende Weite unter sich. Der Blick fiel ins Unendliche, suchte verstört nach vertrauten Dimensionen und Maßstäben, nur um sich von dem Verstand eines Besseren belehren zu lassen. Denn was von hier aus wie eine Decke aus nachtschwarzem Dunst wirkte, stellte in Wirklichkeit die ganze Atmosphäre dar, und was wie ein Bergkamm aussah, war ein mächtiger Gebirgszug. Die Morgendämmerung in ihrer ganzen Weite war zu einem bunten Stück Faden verdichtet, den man in die Finsternis geschleudert hatte.

Es war wolkenstill. Das Blut pochte dünn in ihren Ohren, und ihr Blick, jetzt an die Sicht gewöhnt, schweifte über den Abgrund; ihre Körper erschienen schwerelos, und nur die Härte des Gesteins unter ihnen gemahnte an die rauhe, dingliche Beschaffenheit der Welt.

Die Männer saßen wie angewurzelt.

»Das kurze, glückliche Leben des Francis Macomber«, flüsterte Vukolow, dem freien Fluß seiner Gedanken folgend.

»Das kurze, glückliche Leben des Francis Macomber«, gab Omrin wie ein Echo zurück.

Und erneut senkte sich das Schweigen herab, ewig während dort, wo kein Wind entstehen kann. Die Minuten vergingen, und die Männer saßen reglos.

Was meinten sie? Welche Gedankenkette hatte sie zu einer alten Geschichte von Hemingway geführt? Was hatten sie mit Macomber gemeint? Sie hätten es selbst nicht zu erklären vermocht.

Vukolow kehrte immer wieder in seine Vergangenheit zurück, die von dieser hohen Warte aus fern, klein und unwirklich erschien, als betrachte man eine Landschaft durch das falsche Ende eines Fernglases. Ein Junge mit flachsblondem Haar, der barfuß Wolken warmen Staubs aufwirbelte – war er das wirklich? War dieser langhaarige Jugendliche, der sich da mit anderen erregten jungen Leuten in einem verräucherten Zimmer heiser stritt, ebenfalls er? Oder dieser gutgekleidete, energische junge Gelehrte am Pult? Und die tiefschwarze Nacht, als er herausfand, daß seine Angebetete ihn nicht liebte und alles hoffnungslos war – hatte sie sich ereignet? War es möglich, daß dieser Augenblick über dem Abgrund der Abgründe eine Fortsetzung der Vergangenheit war?

So war es, und erstaunt gedachte Vukolow der Wechselfälle des Lebens, die ihn hierher geführt hatten. Es war beinahe vorprogrammiert, vorherbestimmt gewesen, daß er barfuß herumgelaufen war, daß er als Kind große wissenschaftliche Fähigkeiten bewiesen und unter unerwiderter Liebe gelitten hatte, sogar, daß er sich auf dem Mars befand. Warum auch nicht? Natürlich gelangten von Milliarden von Menschen nur einige hundert auf den Mars, aber es war des Menschen Wille, der sie dorthin gesandt hatte, so unerbittlich wie die Kraft, die die Planeten in ihren Umlaufbahnen hielt. Aber die Kette von Ereignissen, die ihn hier auf diesem Berg hatten landen lassen, wies keine Struktur auf – zumindest keine logische Struktur. In der Tat hatte sie sich wider alle logischen Erwartungen und den gesunden Menschenverstand ereignet. Einen offensichtlichen Grund, der sie zwang, diesen Berg hinaufzuklettern, gab es nicht. Eine gesteinskundliche Untersuchung des Gipfels? Ja, vielleicht. Aber um die Wahrheit zu sagen, war das nur eine Ausrede. Omrins Argumente hatten ihn einfach mitgerissen. Er wollte diesen

Berg schlicht bezwingen und gestattete sich die Überzeugung, daß dies wissenschaftlich notwendig sei. Eine Laune, ein plötzlicher Einfall, und sonst nichts. Und jetzt war er hier.

Welch ein Wahnsinn, wenn man darüber nachdachte! Ein Jahrhundert nach dem anderen verging, und die Leute dachten nicht einmal daran, in die Berge hinaufzugehen. Natürlich gingen sie hinauf, oft sogar, aber nur um einen Weg anzulegen oder zu einer Weide zu kommen, oder um eine Karawane zu führen oder vor einem Angriff Schutz zu suchen. All das waren klare, selbstverständliche, alltägliche Bedürfnisse. Die Menschen waren an Gebirgspässen interessiert, an erzreichen Abhängen und an Gipfeln, die eine gute Fernsicht ermöglichten, aber nicht einfach daran, dem Himmel nahe zu sein. Warum ohne einen Grund klettern? Als Petrarca beschloß, den Gipfel irgendeiner winzigen Anhöhe im Alpenvorland zu besteigen, wozu jeder imstande war, was aber, soweit die Erinnerung der Ortsansässigen zurückreichte, niemand je probiert hatte, da war ihm das peinlich. Er fürchtete, man würde sich über ihn lustig machen und mißtraute seinem eigenen Einfall. Niemand bestieg Berge einfach so. Er aber wohl. War es Gott oder der Teufel gewesen, der ihn trieb?

Bergsteigen ist ein Ergebnis von Muße. Sei es denn so. Es hatte in der Vergangenheit Leute gegeben, die Zeit gehabt hatten, und die alten Griechen besaßen sie, aber schriftliche Zeugnisse darüber, daß Sokrates, Platon oder Aristoteles den Drang verspürt hätten, den Olymp zu besteigen, gibt es nicht. Auch nicht, daß einer ihrer Zeitgenossen auf den Olymp gestiegen wären. Später, ja: nach dem Tode der Götter.

Und im neunzehnten Jahrhundert kam dann ein ganzer Schwung. Dutzende, Hunderte, dann Tausende und Millionen von Bergsteigern. Eine Bewegung, gegen die sich sogar die große Völkerwanderung winzig ausnimmt. Es war ein Sport, jawohl, und ein Feld der Bewährung, und eine Schule für den Mut. Aber handelte es sich hier nicht um eine nachträgliche Legitimierung einer irrationalen Leidenschaft?

Die Berge hatten so viele Menschen zu Krüppeln gemacht und getötet. Es war eine eher zweifelhafte Art, Gesundheit zu erlangen und den Charakter zu bilden. Und warum denn nicht? Also hatte das Bergsteigen in der Regel keine praktische Anwendung, keinen rechten Zweck, das macht uns doch nichts, wir klettern trotzdem!

Und er kletterte. Auf der Erde. Und jetzt hier auf dem Mars. Einfach so. Nur aus Spaß.

Fabelhafte Unvernunft.

Die Rast, die ihnen zustand, näherte sich ihrem Ende. Omrin und Vukolow erhoben sich, wandten dem Abgrund den Rücken zu und strebten mit gleichmäßigen, kurzen Schritten den Hang hinauf.

Vukolow setzte seinen Weg nur widerwillig fort. Er hätte gern noch eine Stunde dort verharrt. Aber höher und weiter, ganz gleich ... so oft in seinem Leben war es so gewesen.

Es war der dritte Tag des Aufstiegs. Weiter unten war das Licht des heraufziehenden Morgens so hell, daß es die Umrisse der Felsen sichtbar machte. Im Gegensatz dazu schien der Himmel nur noch schwärzer, er warf einen trüben Schatten auf den Hang. Der finstere Weg zwischen den Verwehungen hindurch wirkte bedrückend. Etwas Trostloseres als Geröllfelder unter schwarzem Himmel hätte keine Phantasie sich ausmalen können, und wenn im schwachen Licht der Sonne ihre Schatten sichtbar wurden, ließen deren ungelenke Bewegungen, die doch all ihre Bewegungen nachäfften, Vukolow erschaudern. So mochten sich die Seelen der Verstorbenen im Land der Toten bewegen, und genau so würde die Landschaft dort aussehen.

Knirsch, knirsch, knirsch ... Ihre Stiefel zertraten die schwarze Bimsschlacke. Nicht durch die Luft, die dort fast nicht vorhanden war, pflanzte sich das Geräusch fort, sondern entlang ihrer Raumanzüge und Knochen.

Schwierigkeiten, die zu beklagen gewesen wären, waren bis jetzt nicht aufgetreten. Der Berg wies keine ernsthaften Hindernisse auf und erforderte keine großartige Beherrschung der Technik. Es war klug gewesen, bei der Streckenvorbereitung die Stereobilder des Berges so lange und gründlich zu studieren. Diese Route verlieh dem Berg große Ähnlichkeit mit dem Elbrus, ohne dessen Eiskappen, den Schnee und die launischen Irrungen der Wetterlage. Tag um Tag, Stunde um Stunde, setzte der feste Abhang sich fort. Auf Erden hätte ein solcher Hang einen auf den ersten paar Kilometern außer Gefecht gesetzt, aber Männer, Anzüge und Ausrüstungen wogen hier wesentlich weniger. Und es gab keine Schwierigkeiten mit dem Atmen, weil sie über stetige Sauerstoffzufuhr verfügten. Dennoch ermüdete sie der endlose Aufstieg, und der Körper verfiel in einen mechanischen, teilnahmslosen Trott, kaum daß sie zu klettern begonnen hatten.

Knirsch, knirsch, knirsch . . .

Oder die Stille, wenn sie auf den weichen Sand traten, der hier grau wie alles andere war.

Die Schwerkraft, gegen die sie ankämpften, lastete auf ihren Schultern, erschöpfte sie. Natürlich war es in Wirklichkeit genau andersherum: jeder Kilometer ließ sie leichter werden. Doch es schien ihnen, als brächen sie durch eine dicke, festgefügte Masse. Ihre Herzen, Lungen und eine jede Muskelzelle arbeiteten mit Höchstkraft, wie bei einem Tiefseetaucher. Nur dauerte die Spannung hier stundenlang und über endlose Kilometer an. Der Körper bettelte um ein Stück bergab, aber der Wille zwang ihn, gnadenlos, hinauf.

Vukolows ganzes Sein war nur auf den Hang konzentriert, auf dem nichts leicht fiel und es keine Abkürzungen geben konnte.

Die Sonne stieg höher, und die Schatten wurden dichter, ähnelten denen auf dem Mond, und der Himmel wurde schieferfarben und sternenlos. Das Glitzern von Glimmer und Quarz blitzte vom kantigen Gestein auf.

Einen Kilometer vor dem Gipfel blockierte überhängender Fels ihren Weg. Ihn von vorn zu nehmen oder zu umgehen hätte zu lange gedauert. Doch führte ein Weg durch ihn hindurch. Und obwohl der steinerne Fluß, der sich zwischen den Klippen hindurchwand, ohne Zweifel aus Geröll bestand, wirkte er nicht gefährlich – mit Felsschutt hatten sie es bei so mancher Expedition zu tun gehabt. Vorsichtig betraten sie das lose aufgeschüttete Gestein.

Zunächst verlief alles wie vorgesehen. Die feinen Kiesel lagen träge unter ihren Füßen, und schon konnten sie unter dem sonnenbeschienenen Spalt den Ursprung des Gerölls ausmachen, als der Gesteinsfluß plötzlich in Bewegung geriet und sich abwärts zu verlagern begann. Das Beben dauerte nur eine oder zwei Sekunden, ihr Herzschlag setzte wieder ein, und alles war vorbei. Sie hatten an Boden verloren, aber sonst war nichts passiert.

Ein erneuter, außerordentlich vorsichtiger Aufstiegsversuch hatte das gleiche bedrohliche Rutschen zur Folge.

Nachdem sie gewartet hatten, bis die Bewegung sich gelegt hatte, machten sie sich auf den Weg zu einem Felsen, wo die Logik nahelegte, daß der Schutt weniger heimtückisch sein würde.

Er erbebte sogar noch stärker.

Ein Schritt zur Seite und dann zurück, um dem Geröll zu entkommen, dann seitwärts und wieder zurück. Doch es war zwecklos. Still, wie in einem Traum, lösten sich Kiesel über ihren Köpfen, und ein Stein traf Omrin am Bein. Wo immer sie es auch probierten, stießen sie auf ein Grollen, das drohend eine Lawine ankündigte.

Auf der Erde hätte ihnen dies keine Furcht eingeflößt. Hinter ihnen lag kein gähnender Abgrund, sondern nur ein schräger Hang, den sie, wenn es dazu kommen sollte, zusammen mit dem Geröll hinabrutschen konnten. Mit ihrer Erfahrung würden sie mit ein paar Kratzern und blauen Flecken davongekommen.

Doch hier konnten sie dies Risiko nicht eingehen, denn ein Riß in ihrem Anzug war gefährlicher als gebrochene Gliedmaßen. Was ein Vorteil gewesen war, war schnell zu einer zusätzlichen Belastung geworden, die einmal mehr bewies, daß in den Bergen, wie im Leben, nichts einem leicht fällt.

Mit unsicheren Bewegungen, wie Blinde, tasteten sie sich vor und probierten, und sie kamen zu dem Schluß, daß ihre einzige Hoffnung seltsamerweise darin bestand, entlang der Achse des Steinflusses aufzusteigen. Das Geröll würde in Bewegung geraten, doch sein empfindliches Gleichgewicht würde nicht gestört. Ein wenig von der Höhe, die sie bei jedem Mal gewannen, hielten sie sogar. Zwar nur ein wenig, Zentimeter, aber ein Gewinn war es doch.

Sie hatten kein einziges Wort gewechselt. Sie verstanden einander. Es gab nichts zu besprechen, und keine Berechnung konnte hier helfen; nur ihrem Einfühlungsvermögen konnten sie trauen. Sie nickten gleichzeitig und betraten die tückische Rolltreppe, die steinerne Treppe des Berges, die nach unten führte.

Die Sonne stand hinter ihnen, doch die Wände des Spalts warfen ihr Licht von allen Seiten zurück. Indem er gefühlvoll den besten Halt wählte, setzte Vukolow vorsichtig seinen Fuß vor, und dennoch rutschte er, als er so sorgfältig wie möglich an dieselbe Stelle trat, ab, um zum hundertsten und vielleicht tausendsten Mal von vorn anzufangen. Die Klimasteuerung seines Anzuges arbeitete fehlerlos, und doch lief der Schweiß ihm über das Gesicht. Vukolow sah nichts außer den heißen Spiegelungen auf dem Fels und dem Chaos des Gerölls zu seinen Füßen; allein der glitzernde Felsüberhang, der es ihnen als einziger ermöglichte, ihren Fortschritt zu ermessen, drang noch an den Rand seines Gesichtsfeldes.

Ihre mühsamen Bewegungen waren nunmehr alles – Vergangenheit, Gegenwart und Zukunft. Nichts hatte vorher existiert, nichts sonst würde später existieren. Aufwärts – abwärts, aufwärts – abwärts, aufwärts – abwärts ... Das Rascheln und Knirschen, das trockene Funkeln des Felsens, so war es immer gewesen, hier war er immer gewesen, war immer geklettert, ewig ausgerutscht und wieder aufgestiegen. Nur dann und wann bedauerte er, daß kein Stern in der Welt sich aufwärtsbewegte; sie alle zogen einen erbarmungslos nach unten, bis man gegen den Fluß ankletterte. Darin lag Hohn, Ungerechtigkeit, und beides entmutigte ihn und ließ ihn hartnäckig werden.

Er dachte an sich, oder an seine Chancen; er hörte nur das

Blut in seinen Ohren pochen, und von der Stelle, die er für seinen Fuß gewählt hatte, wandte seine Aufmerksamkeit sich der Unterstützung seines Begleiters zu, den es abwärts zog. Dann und wann drang ein schwarzes Stück Himmelsmuster in sein Gesichtsfeld. Und selbst das war Teil seines ausweglosen Lebens, wie der Kampf um Zentimeter, wie das Rollen des nachgebenden Gerölls.

Im Zurückgleiten streckte Vukolow sich nach oben, nach oben, nach oben ... und so ging es weiter, ewig.

Und dann war es plötzlich vorbei, und er lag auf festem Gestein und starrte hoch zum Himmel, ohne einen einzigen Gedanken im Kopf. Und neben ihm lag Omrin, und das war gut, und nur seine Beine kämpften noch gegen den Fluß aus Steinen an, und sein Herz beruhigte sich allmählich. Die Zukunft erschien weit und wunderbar, endlos bis in alle Zeiten.

Um die Mitte des Tages erreichten sie den Gipfel.

Sie standen auf dem Kamm, Herrscher auf dem Mars. Zu ihrer Linken befand sich soviel Raum, Tiefe und Entfernung, daß sie die dunstige Krümmung des Planeten selbst erkennen konnten. Die Seite des Berges mit ihren Felsen, dem Geröll und den Abgründen, fiel steil ab und tauchte dabei nach und nach in die durchscheinende, blaue Luft. Durch das Blau hindurch konnten sie deutlich die rostfarbenen, trockenen Gipfel anderer Berge in der Entfernung sehen, die runzligen Falten der Ebenen, gegen die sich die dunklen Schatten der Schluchten abhoben. Näher am Rand des Planeten wurde die Luft dunkler, wie tieferes Wasser, und die rötlichen Sandberge wirkten wie Sandwirbel auf dem Grunde des Ozeans. Ausgewaschen von der Entfernung, wurden sie immer konturenloser, so daß sie am Rand völlig mit der Luft verschmolzen.

Und über all dem stand, lodernd am dunklen Himmel, die weiße Sonne, klein und grell, verschwommen an den Rändern – eine schwache Andeutung ihres Hofs, der jetzt nicht sichtbar war.

Rechts von ihnen befand sich ein weiterer Abgrund, der bis auf den Grund im Schatten des Schlotes eines gigantischen Kraters lag. Aus einer Entfernung von Dutzenden von Kilometern konnten sie deutlich die braunen, grauen und purpurnen Steine auf der entfernteren Seite seines Randes erkennen, von denen der kleinste immer noch einen jeglichen Gipfel auf der Erde überragt hätte.

Vukolow fühlte, wie er in kristallenen Kaskaden von Licht, kosmischem Licht, schwamm, hier, wo alles kosmisch war wie am ersten Tag des Universums. Die Luft in seinem Anzug hatte sich nicht verändert, doch er atmete leicht, frei, genießerisch, und das Blut pulsierte kraftvoll durch jede seiner Körperzellen. Und der steinerne Schlaf des Planeten erregte nur das brodelnde Leben in ihm. Wer sagt, der Mensch sei nicht unsterblich, nicht immun gegen Langeweile, Alter, Verzweiflung? Wer? Vukolow spürte, daß er genügend Kraft hatte, um Jahrhunderte zu überdauern, und Freude durchfloß ihn, sprudelte in ihm.

»Nix Olympica«, murmelte er selig. »Der Schnee des Olymp. So also siehst du aus.«

Strahlend wandte er sich Omrin zu.

Omrin stand ganz still. Sein sonst trauriges Gesicht, jetzt ohne jeden Ausdruck, war auf irgend etwas über Vukolows Kopf gerichtet.

»He!« schrie Vukolow aus vollem Halse. »Wir haben ihn bezwungen! Wir haben ihn tatsächlich bezwungen!«

Omrin schüttelte sich, wie aus dem Schlaf gerissen, und sah Vukolow verständnislos an. Und dann hellte sein Gesicht sich auf.

»Du kannst gleich noch dazusagen, daß wir die ersten sind«, sagte er eigenartig spöttisch.

Vukolow lächelte glücklich, wie ein Kind.

»Das versteht sich von selbst und ist auch nicht von großer Bedeutung!« Er warf den Kopf zurück.

»Was denn sonst?«

»Alles! Alles!«

»Setzen wir uns!« schlug Omrin vor.

Vukolow setzte sich bereitwillig und sprang wieder auf, machte ein paar Schritte und ließ sich erneut nieder.

»Das ist ein Gipfel, was?« sagte Omrin. »Ein ganz besonderer Gipfel. Ein Hubschrauber kommt hier nicht hin – es gibt keine Luft. Für eine Rakete ist nicht genügend Platz. Man braucht Beine, um hier heraufzukommen.«

»Natürlich«, sagte Vukolow gedankenverloren. »Das macht die Schönheit aus.«

»Was?«

»Du kennst die Antwort. Was für eine Weite!« Er machte eine raumgreifende Geste um sich herum. »Mir ist nach Singen und Lachen zumute. Ich fühle, wie mir Flügel wachsen. Nur daß es keinen Schnee gibt. ›Der Schnee des Olymp‹. Ohne Schnee. Schlechte Planung, was? Nun, mir macht es nichts aus. Ist dir nicht nach Fliegen zumute? Ich fühl mich, als könnte ich einfach lossegeln. Vollkommen unvernünftig. ›Dem Kampfe froh ins Auge sehend und hoch auf einer Klippe stehend‹. Weshalb? Ich weiß es nicht, und es ist mir auch egal.«

»Und ich bin hier heraufgekommen um der Antwort willen.«

»Langweiliger Pedant«, lachte Vukolow. »Ich bin die Antworten leid. Wir bringen unser Leben damit zu, nach Antworten zu suchen, sonst tun wir nichts. Wieso siehst du dich nicht um, statt nachzudenken? Was für ein Berg! Und dennoch ist nichts Besonderes an ihm. Ich meine, gut, er ist hoch, gut, er liegt weit. Über uns die Luft, der Planet zu unseren Füßen. Aber ich kann mich nicht davon losreißen. All das liegt an der Grenze, jenseits der Grenze – und ich kann die Hand ausstrecken und den Himmel berühren.«

»Hier wären wir also«, sagte Omrin ernst, und er seufzte sogar dabei. »Wir steigen hinauf und verspüren Glück, Berauschung, sogar Hymnen wollen wir singen. Aber Glück wird nicht einfach so ausgeteilt, es ist immer eine Belohnung. Doch wofür in diesem Fall?«

Omrins Ton ließ Vukolow aufhorchen.

»Worauf willst du hinaus?« fragte er unwillig. Omrin verdarb ihm die Laune.

»Siehst du hier nichts – Außergewöhnliches?«

»Außergewöhnliches?«

Verwirrt sah Vukolow sich um. Und wieder erstaunte ihn, wenn auch diesmal anders, die wilde Kraft der Natur. Er kam sich hier sogar überflüssig vor. Es war alles übermäßig. Alle Menschen der Welt hätten sich in diesen Krater begeben können, hätten dort hineingepaßt, ohne daß die Landschaft sich auch nur um einen Deut verändert hätte. Vielleicht wäre an seinem Grund ein winziger, grauer Punkt sichtbar gewesen. Und selbst wenn es auf dem Mars Luft gäbe, würde der Schrei von Milliarden ersterben, noch bevor er den Rand des Kraters erreichte.

»Hier ist nichts Außergewöhnliches«, sagte Vukolow und senkte die Stimme. »Und alles ist wie immer. Wirklich! Dieser Berg könnte ein Thron für Gott oder für Satan sein, aber zum Glück sind wir keine Kinder mehr. Wir haben den höchsten Gipfel im Sonnensystem erklettert, der uns zugänglich ist, sonst nichts. Freu dich doch, Menschenskind!«

»Wir haben es geschafft, weil wir alles riskiert haben«, erwiderte Omrin. »Hast du dich je gefragt, wofür?«

Vukolow zuckte die Achseln, soweit sein Raumanzug das zuließ, und lehnte sich an den Fels zurück.

»Also gut, haben wir«, erwiderte er. »Und?«

»Wir müssen dahinterkommen. Zwei Hauptbedürfnisse bestimmen das Verhalten alles Lebendigen. Das Bedürfnis nach Nahrung ist das eine, das Bedürfnis, die Art zu erhalten, das andere. Hat eines von beidem etwas mit unserem Handeln zu tun?«

»Was soll diese Einführung in die Entstehung des Seelenlebens?« Vukolow runzelte die Stirn. »Da hast du dir wirklich die rechte Zeit und den rechten Ort ausgesucht. Also schön, also schön, ich antworte. Nein, hat es nicht. Bist du jetzt zufrieden? Oder muß ich dich daran erinnern, daß es außer diesen beiden Grundbedürfnissen . . .«

». . . auch noch andere gibt. Wer ohne gesellschaftliche Bindungen lebt, ist zu Kälte und Tod verurteilt. Daher ein drittes Grundbedürfnis – das Verlangen, mit anderen seiner Art zusammenzusein. Und daß das mit unserem Aufstieg nichts zu tun hat, ist ganz klar. Also bleibt nur ein Grundbedürfnis übrig. Nämlich das, ohne welches Versuch und Erfahrung, und daher die Anpassung, unmöglich ist.«

»Na also! Beglückwünschen wir uns dazu, daß uns ein leidenschaftlicher Wissensdurst hierher geführt hat, und lassen wir die Selbstanalyse. Die Berge warten auf uns!«

Omrin stieß die Luft aus.

»Glaubst du wirklich, was du da sagst? Ein leidenschaftlicher Wissensdurst ... Jedes Sandkörnchen auf diesem Planeten läßt sich vom Satelliten aus untersuchen und zählen, aber was siehst du von hier aus? Die Satelliten verfügen über Laboreinheiten. Was haben wir? Was können sie von dort oben für Untersuchungen durchführen? Und welche Beobachtungen machen hier oben die Anwesenheit von Menschen erforderlich?«

»Also gut«, knurrte Vukolow, betrübt angesichts der unnötigen Auseinandersetzung. »Ich stimme mit dir überein, daß unser Handeln sinnlos war. Oder vielmehr handelt es sich, um es zu rechtfertigen, um etwas entwicklungsgeschichtlich Überholtes: das Bedürfnis, alles mit eigenen Händen zu berühren. Sogar mit behandschuhten Händen. Na und? Wenn es eine Laune ist, dann ist es eben eine Laune. Der Mensch lebt nicht vom Wissen allein. Da braucht man nicht nach einem tiefsitzenden Grund zu suchen. Auch ohne den ist es hier oben wunderschön.«

»Aber du willst den Grund doch wissen, oder?«

»Laß mich in Frieden! Sieh dich einfach um. Wir sind die ersten, die das hier sehen. Welche Stille in all dem ist – der kosmische Schlaf eines Planeten. Die Bergrücken zu unseren Füßen sind wie Wirbelsäulen uralter Ungeheuer. Die Zeit hat sich über sie hergemacht – sieh mal, es bleiben nur die blanken Knochen! Nein, ich kann das in Worten nicht ausdrücken. Da muß ein Maler her, ein Dichter. Und du reitest die ganze Zeit auf deiner Selbstanalyse herum. Was, warum, wie ... es gibt hier kein Problem.«

»Es gibt ein Problem«, sagte Omrin im Stehen. »Und es läßt auch dich nicht ruhen, Freundchen. Eine Laune, um derentwillen die Leute ihr Leben aufs Spiel setzen? Ein spontaner Einfall, von dem solche Befriedigung ausgeht? Unsinn! Die Natur berechnet: das Glück dient, genau wie die Trauer, den Zielen des Überlebens, und du brauchst nur ein bißchen zu wühlen, um auf das Bedürfnis zu stoßen, das im Verlauf der Evolution verlorengegangen ist.«

»Ein fünftes Grundbedürfnis – den Verstand zu verlieren und Berge zu besteigen?« Vukolow lachte und verbarg seinen Ärger nicht länger. »Welch eine Schande, daß der Wissenschaft nur vier bekannt sind! Was für ein Ding, wenn wir das Vorhandensein eines fünften nachweisen könnten.« Und er dachte, noch eine Minute, und ich sage ihm, er soll zum Teufel gehen.

»Deshalb bin ich hier heraufgekommen, um des Beweises willen.«

Erstaunt betrachtete Vukolow seinen Freund. Der stille Omrin war nicht wiederzuerkennen. Er wirkte größer, hatte sich ausgedehnt, um den Raum zu füllen, und das düstere, leidenschaftliche, nicht wiederzuerkennende Gesicht eines Propheten blickte auf Vukolow herab. Erstaunlich, dachte Vukolow. Ist das der Mann, mit dem ich soviele Monate über ein Zimmer geteilt habe? Was ist geschehen, wie? Konnte man einen anderen je wirklich kennen?

»Es gibt ein fünftes, grundlegendes und mächtiges Bedürfnis«, tönte Omrin, und seine Worte klangen wie Bronzeglocken. »Es existiert, und ich hatte nicht erwartet, hier auf einen entsprechenden Beweis zu stoßen, und doch kam ich mit dem Traum ...«

Omrin atmete tief ein. Vukolow betrachtete ihn erstaunt.

»Hör zu! Ein Baum wächst, so lange seine Wurzeln halten, ein Fisch ist bemüht, die Ozeane mit seinem Rogen zu füllen, der Mensch starrt gierig auf die unzugänglichen Teile der Galaxien. Alles strebt nach einer Grenze und dann darüber hinaus. Das Wachstum eines Baumes geht oft über die Festigkeit seiner Wurzeln, Fische sterben beim Laichen in den Oberläufen der Flüsse, der Mensch bringt sich mit seiner selbstauferlegten Überanspruchung um. Er opfert sich, indem er auf törichte Art seinen Instinkt zur Selbsterhaltung außer acht läßt. Und weshalb, weshalb hat die Evolution, die erbarmungslos alles Überflüssige ausmerzt, diese Verschwendung zugelassen, weshalb hat sie diesen Trieb nicht abgemildert und geregelt? Weil er vernünftig ist und der Art förderlich. Kleine Bemühungen, kleine Wirkung. Und wer sich in Gefahr begibt – und das Leben balanciert auf Messers Schneide –, kommt darin um. O nein! Ganze Konzentration und ganzer Einsatz allein garantieren, daß das Leben weiter gedeiht! Und nur dann wird uns Glück geschenkt – wenn wir unser Ganzes gegeben haben, und noch mehr. Alles ist von der Sehnsucht erfüllt, sich zu verwirklichen, seine Funktion zu erfüllen, und das erzeugt den unstillbaren, bizarren und sogar rücksichtslosen Drang zu leben! Das sind die Spielregeln: man kann nicht einfach dasitzen und die Hände in den Schoß legen. Das ist ein Gesetz! Und es zu verletzen, bringt bestenfalls Langeweile, macht aus der Welt einen Ort der Trübsal. Und Bergsteigen ist nur ein lokal begrenzter, privater Ausdruck dieses Triebs, aber doch ein vielsagender. Man überschreitet die Grenzen in reinster Form, sozusagen. Bitte sehr!«

Vukolow war beeindruckt, verspürte sowohl Bewunderung als auch Zweifel. Doch der Skeptiker in ihm gewann die Oberhand.

»Sehr interessant«, sagte er ernst. Und fügte dann vorsichtig hinzu: »Aber ich glaube, hier gibt es mehr Ausnahmen als Regeln.«

»Natürlich!« Aus irgendeinem Grund war Omrin zufrieden. »Das Bedürfnis, die Art zu erhalten, ist auch nicht für jeden selbstverständlich. Aber es ist die Regel. Eine einzige, homogene Masse ist träge und unflexibel, aber die Umstände wandeln sich. Heute ist das eine wichtig, morgen ist das andere obenauf, und unter Millionen muß es Vielfalt geben, sonst . . .«

Omrin machte die Bewegung, derer sich die Römer bedient hatten, um Gladiatoren in den Tod zu schicken.

»Puh!« Vukolow seufzte laut und versuchte, ein beklemmendes Gefühl abzuschütteln. Ein neues Bild des Mannes, den er so lange gekannt hatte, machte ihn besorgt, so wie alles, was er nicht verstand. »Eine elegante Hypothese, aber eine zweifelhafte. Du sprachst über Beweise. – Hier?«

»Aber sicher.«

»Nun, ich sehe keine. Phobos hat sich am Horizont erhoben, das sehe ich. So eine liebliche, durchscheinende Sichel.« Unsicher tastete Vukolow nach dem rechten Tonfall, den er ihm gegenüber anschlagen mußte. »Der Schatten des Kraters hat sich bewegt – jetzt glänzt irgend etwas darin gelblich, ich schätze Schwefel. Aber hier gibt es kein Leben. Und kann auch keines geben. Es sei denn, du meinst uns? Aber ansonsten gibt es keinen Beweis. Du hast einen Witz gemacht, stimmt's?«

»Stimmt nicht!« Omrin lachte triumphierend. Der Prophet in ihm verschwand. »›Der Schnee des Olymp.‹ Wir sind nicht die ersten. Vor uns ist Leben hiergewesen.«

»Wo?«

»Sieh dich um, so wie ich!«

Seine Erregung hatte Vukolow angesteckt. Er stand auf. Sein wachsamer Blick schweifte von Gipfel zu Gipfel, drang in grell erleuchtete Spalten und schwarze Abgründe, aber er sah nur von der Sonne beschienenes Chaos, ein majestätisches Panorama von Fels, Gestein, das tot war seit seiner vulkanischen Geburt, ganz und auf ewig. Alles strömte eine furchtbare und schöne Trägheit aus, denn sogar im schlimmsten Sturm, wenn die Luft auf dem Mars vor Sand starrte, regierte der Gipfel von Nix Olympica ruhig über dem tosenden Sand.

»Hier ist nichts.«

»Du siehst in die falsche Richtung«, sagte Omrin sanft. »In die falsche Richtung und an die falsche Stelle.«

»Wie sonst?«

»Der Verstand sieht, noch bevor das Auge es tut. Es gibt tausende unbezwungener Berge auf dem Mars, doch es zog uns auf den höchsten. Weshalb? Weil es der höchste ist! Doch wenn das Bedürfnis, uns selbst zu verwirklichen, uns hierhin geführt hat, hätte es auch andere hierhin führen können. Kannst du dir vorstellen, daß vernünftige Geschöpfe auch nur eines der Grundbedürfnisse außer acht lassen?«

»Aber hör doch!«

»Nein, antworte mir erst.«

»Also schön. In der Unendlichkeit des Universums . . .«

»Laß die Unendlichkeit aus dem Spiel! Die Gesetze der Natur gelten für die gesamte Galaxis. Vernünftige Geschöpfe mögen Stein essen statt Brot, Feuer statt Luft atmen und anstatt aus Proteinen aus Kristall bestehen, aber sie müssen essen, sich vermehren, in einer Gemeinschaft leben, sich mit der Welt auseinandersetzen und das Unmögliche erstreben. Wenn seit dem Bestehen des Nix Olympica jemand Entfernungen zwischen den Sternen durchmessen und die Zeit dazu gehabt hat, heißt das, so könnte er bestrebt gewesen sein, den höchsten Berg – welchen sonst – im Sonnensystem zu besteigen.«

»Welch eine wilde Vermutung!«

»Und doch sind wir hier. Und wir haben einen Laserschneider mitgenommen, um ein Zeichen zu hinterlassen, nicht nur, um Stufen auszubrennen. Übrigens wäre die höchste Stelle im Fels der Ort für unsere Inschrift, stimmt's?«

»Stimmt«, meinte Vukolow.

»Dann geh einmal dort hinüber, wo das Schichtgestein austritt und sieh nach, was sich über deinem Kopf befindet.«

Auf jetzt plötzlich weichen Knien tat Vukolow ein paar Schritte, sah hin und blinzelte, als blicke er auf eine Explosion. Doch in das erschütterte Dunkel seines Bewußtseins leuchtete noch die Schrift, die dort in den Felsen gebrannt worden war, lange bevor der Mensch seinen ersten Berg erklomm.

AUF STAUBIGEM WEGE

> *Ein kleiner roter Vogel dreht sich*
> *in alle Richtungen*
> *– haben wir ihn alle gesehen?*
>
> Olescha

Zuerst vernahm er die Schritte, die sich näherten, schwerfällig, hohl: *dong, dong, dong*, wie Hammerschläge auf den Boden. In dem violetten Gebüsch jenseits der Biegung raschelte es, und auf dem Weg tauchten die Sirillen auf. Als sie den Menschen erblickten, erstarrten sie. Sofort waren sie von einer dichten Staubwolke umgeben. Der Atem aus gepanzerten Lungen erfüllte die Luft.

Archipow griff an seine Waffe. Er fürchtete sich nicht, doch er war überrumpelt worden. Dies spielte sich nicht im wirklichen Leben ab – die plötzlichen Schritte, das unerwartete Auftauchen von Ungeheuern. Es wirkte zu sehr wie ein schlechter Film.

Eine Sekunde lang standen sie sich gegenüber, der Mann im Raumanzug und die Tiere. Dann senkten sich die drei quadratischen Gesichter, drei Augenpaare erstrahlten grün, und wie von Furien gehetzt stürmten die Sirillen los. Sie kamen geradewegs den Pfad entlang, geradewegs auf den Mann zu. Archipow zuckte die Achseln. Ein greller Blitz traf das erste Tier. Der Plasmastrahl riß ihm den Kopf ab.

Die verbleibenden zwei machten eine scharfe Kehrtwendung. Das Gebüsch hinter der Biegung raschelte erneut, und der Weg war frei. Nur der aufgewirbelte Staub erinnerte noch an den Angriff.

Archipow spürte seine weichen Knie: erst jetzt war ihm bewußt geworden, daß dies Wirklichkeit war. Oh, Mann! dachte er. Wenn ich das den Jungs erzähle!

Er war sicher, daß seine Geschichte sie interessieren würde. Die Verhaltensmaßregeln für das Zusammentreffen mit gefährlichen Tieren hatten einstmals die Dienstvorschrift angeführt. Aber bald wurde sie weiter ans Ende gerückt. Man brauchte sie nicht. Sogar das primitivste Tierhirn konnte sich ausrechnen, daß es sinnlos war, sich in einen Kampf mit einem unbekannten, unberechenbaren Geschöpf einzulassen. Da war es einfacher, auf die gewöhnliche Beute zu warten.

Und ohnehin konnte Archipow sich nicht so ohne weiteres erinnern. Ah, sie lautete irgendwie so: »Annäherung ist möglichst zu vermeiden . . . Im Falle eines Angriffs verteidige man sich schnell und entschlossen . . .« Dann gab es da noch Kleingedrucktes in einer Fußnote. Nun, es hatte alles seine Richtigkeit: man hatte ihn angegriffen, er hatte sich verteidigt, er hatte die Vorschriften befolgt.

Er näherte sich dem verendeten Tier. Als es auf ihn zugekommen war, hatte es größer gewirkt. Der Staub hatte sich schnell auf seinen harten Panzer gelegt und verdeckte dessen Farbe. Jetzt konnte Archipow sich nicht einmal vorstellen, weshalb er es für gefährlich gehalten hatte. Es handelte sich nur um einen klobigen Kadaver aus Knochen, Muskeln und Nerven, den er ums Leben gebracht hatte. In seiner Seele regte sich etwas wie Bedauern. War das wirklich ein Raubtier gewesen?

Natürlich war es das, es hat mich angegriffen, dachte Archipow und versuchte, sich zu besänftigen. Aber er besaß nicht mehr das Selbstvertrauen von vorhin. Es begann ihm klarzuwerden, wie wenig vertraut und eigenartig die Tierwelt dieses Planeten für ihn war. Er war immer im Hubschrauber oder in geschlossenen Fahrzeugen unterwegs, fast niemals zu Fuß. Er raste meist vorbei, und aus den Augenwinkeln heraus fing er irgend etwas ein – irgendeine Art Tier. Das war die ganze Berührung, in die er kam. Was für ein Tier? Wen interessierte das schon! Er hatte eine Menge Arbeit.

Ein raschelndes Geräusch unterbrach sein Grübeln. Die Büsche regten sich erneut, waren angefüllt mit versteckter Bewegung. Verwirrt wandte Archipow den Kopf. Doch der

Roboter, der zu seinen Füßen einhertuckerte wie ein Hund, stieß kein Warnsignal aus. Es handelte sich also bloß um irgendein kleines Tier, das da durchs Gebüsch drang – verborgenes, unsichtbares Leben, das irgend etwas suchte, irgend etwas bewegte, im Schutze des Urwalds irgendwohin lief.

Archipow atmete tief ein und ließ den Griff seiner Waffe los. Ein erstaunlicher Gedanke war ihm gekommen. Dies war das erste Mal, das allererste Mal, jetzt vor ein paar Minuten, daß er einem wilden Tier begegnet war! Konnte es wirklich das erste sein? Ja, verdammt nochmal! Und das Komische war, daß er über die Tiere auf diesem Planeten mehr wußte als über die auf der Erde. In seiner frühen Kindheit hatte man ihn einmal mit in einen Zoo genommen, erinnerte er sich. Aber er entsann sich an nichts mehr. Und dann, dann? – Er versuchte, sich zu erinnern. Das nicht . . . nein, und das auch nicht; das hatte er in einem Film gesehen, und das andere auch. Jetzt fiel es ihm ein! Sie hatten den Wagen abgebremst, der mit einhundertachtzig Stundenkilometern ein Asphaltband entlanggerast war, um herzhaft über den Anblick der eigenartigen Hüpfer und Sprünge zu lachen, die irgendein kleines Tier vollführte. Das Tier hieß Kaninchen, erinnerte er sich. Es war faszinierend gewesen, und so lustig! Es war gut, daß einer von seinen Freunden im Wagen einen scharfen Blick hatte, oder der Anblick wäre ihnen entgangen. Er hatte sie gefesselt. Ein Tier in freier Wildbahn zu sehen! Es gab nicht viele, die sich dessen brüsten konnten. Trotzdem war die Erde so von Technik durchwuchert und gezähmt, daß das Kaninchen vielleicht eine Nummer trug und irgendwo aufgelistet war. Wild konnte man es im Grunde nicht nennen.

Also schön, daran war nichts gar so seltsam. Er war Astronaut. Die langen Fahrten beim Schein starr leuchtender Sterne trennten ihn natürlich von der Erde. Zumindest von ihren Bewohnern in freier Wildbahn. »Wir sind Kinder der Straße, wir sind Jungs aus der Stadt«, hieß der Text zu einem alten Lied. Und außerdem war er Astronaut.

Mit seinem Zeh stocherte Archipow an dem Kadaver herum. Er hinterließ auf dem staubigen Aas einen Abdruck. Nun, dies war wahrhaftig ein exotisches Abenteuer. Er konnte diese Leute aus der Vergangenheit verstehen, die Jäger geheißen hatten.

Und da summte sein Roboter eine Warnung. Seine Antenne, die Gerüche analysierte, rotierte eilig. Archipow horchte gespannt. Überall um ihn herum war Bewegung. Versteckte Bewegung. Aber kein einziger Zweig rührte sich. Offenbar verstanden die Tiere es, sich zu verbergen. Was wäre, wenn eins von ihnen aus dem Gebüsch gesprungen käme? Sollte er da jetzt hineinschießen? Puh, er war dabei, nervös zu werden, wenn er so dachte. Nein, Lustwandeln im Wald war nichts für ihn. Er war das nicht gewöhnt. Er mußte so schnell wie möglich zurück zu seinem Fahrzeug.

Aber für den Rückweg blieb ihm keine Zeit. Die Schritte ertönten erneut, sie kamen näher. Und erneut bewegte sich das Gebüsch hinter der Biegung, und wie zuvor erschienen in einer Staubwolke die Sirillen. Doch diesmal verhielten sie nicht, nicht eine Sekunde. Sie eilten, als stünde der Mann gar nicht vor ihnen, daher wie eine donnernde Lawine, die alles in ihrer Bahn hinwegfegte.

Beinahe hätte Archipow davor Angst bekommen. Doch es blieb ihm zum Nachdenken keine Zeit. Der Strahl aus seiner Waffe durchschoß den staubigen Vorhang. Das Tier am Schluß sauste durch die Luft und flog auseinander. Doch auf unerklärliche und deshalb furchterregende Weise brachte der Schuß den Angriff nicht zum Stehen. Im Handumdrehen hatten die Sirillen das Hindernis, das ihr gefallener Bruder darstellte, überwunden, und Archipow sah ihre Gesichter ganz nahe vor sich. Er erblickte gepanzerte Rammböcke, voll unbezähmbarer, gespannter und wilder Kraft, Rammböcke, die auf ihn gerichtet waren.

Wieder und wieder blitzte der Strahl auf, zielsicher, verheerend, doch hastig. Lärm, Knirschen und die von dem aufgewirbelten Staub erzeugte Finsternis.

Und dann war es plötzlich still, denn es war vorbei. Die zermalmte, zerfetzte, verbrannte Lawine lag zu des Mannes

Füßen. Zunächst begriff Archipow nicht, was für seltsame Blumen auf seinen Raumanzug gespritzt waren. Dann verstand er: es war Blut.

Er zitterte von Kopf bis Fuß und konnte nicht aufhören. Er machte einen Schritt und begann zu taumeln. Nein, er hatte genug, er mußte weg von dieser schrecklichen Stelle.

Doch das war nicht so einfach. Das Gebüsch jenseits der Biegung rauschte nicht bloß mehr: es fiel wie ein Vorhang unter dem Ansturm einer neuen Lawine von Sirillen. Archipow mähte mit seiner Strahlenwaffe quer über den Weg. Die erste Reihe fiel, doch verlangsamte die bebende Masse die Tiere kaum. Archipow schoß links und rechts, fuhr quer in breitem Strich, setzte die Strahlenwaffe ein wie ein Schwert. Berge von Kadavern türmten sich vor ihm auf, und er schoß weiter, traf die Lebendigen wie die Toten; und die Sirillen, und vielleicht mehr als nur Sirillen, quollen hervor, drängten nach. Es war ein Alptraum. Als hätte die Natur selbst sich gegen den Fremdling Mensch gewandt, um ihn zu zermalmen und zu vernichten.

Und Archipow schoß immer weiter, obwohl dort nichts mehr übrig war, auf das man hätte schießen können. Die Flut der Tiere war verebbt. Als dem Mann das klar wurde, mußte er sich erschöpft niedersetzen. Die überhitzte Waffe verbrannte seine behandschuhte Hand. Seine Kluft triefte vor Schweiß.

Aber ein Knacken im Gebüsch ließ ihn erneut hochfahren. Was war das? Er blickte sich um, den Kopf voller wilder Gedanken. Er konnte nicht sagen, wo das Knacken herkam, und es klang nicht wie der letzte Angriff. Es enthielt Gefahr und Sieg, wie das Knacken von Kiefern, die Beute zerfleischen. Doch verschwendete Archipow nur seine Zeit damit, sich nach der Ursache des Geräusches umzusehen. Der Staub. Er hing in einer dichten Wolke über dem Schlachtfeld.

Das rostfarbene Tageslicht durchdrang den Staub nur mühsam, fiel in leuchtenden Flecken auf den Weg. Ihre Bewegung ließ ihn aufmerksam werden. Es war eine seltsame Röte in ihnen. Und Bewegung.

Was bedeutet das? Die Tiere, das Licht, der Lärm, fragte er sich. Ich wünschte, es würde einen Moment lang aufhören, damit ich einen klaren Gedanken fassen könnte.

Die rauchgeschwängerte Staubschicht erbebte, wie von einer Windbö getroffen. Der Flecken Licht nahm zu und fiel auf einen entfernten Strauch. Und der Strauch ging in Flammen auf! Ein Schrei entfuhr Archipow: der Strauch brannte mit ohrenbetäubendem Knistern.

Und Archipow begriff, sofort und ein für allemal. Er begriff und stöhnte laut. Was auf ihn zukam, war ein Waldbrand, ein Feuer, vor dem ein jeder flüchten mußte – Mensch wie Tier. Es war der Waldbrand, der die Sirillen den Weg entlanggehetzt hatte, der Grund, weshalb sie blindlings den kürzesten Weg liefen, wo sich ein Mensch befand, dem Leben im Wald so entrückt, daß er nichts begriff, nicht aus dem Weg trat, nicht Seite an Seite mit den Tieren lief, sondern sie mit seinem leuchtenden Schwert gedankenlos abschlachtete, als bedeuteten sie eine größere Gefahr für ihn als der Waldbrand.

Trotz der Schrecklichkeit seiner Entdeckung verspürte Archipow unaussprechliche, bittere Scham. Welch ein Schlachten! Tiere in Stücke zu schießen, Tiere, die Rettung suchten und ihm den Weg dahin wiesen.

Archipow warf einen letzten Blick auf das traurige Mahnmal seiner Selbstherrlichkeit – die Berge von Kadavern, an denen die Flammen bereits züngelten. Und er lief, wobei er die schwere Waffe davonschleuderte. Hals über Kopf lief er auf dem kürzesten Weg, ohne sich umzusehen, ohne nachzudenken, bereit, jedwedes Hindernis mit seiner Brust aus dem Weg zu räumen. Er lief den Weg, den die Sirillen gelaufen waren.

DER MALER

Endlich hatte er Glück: nachdem er lange Zeit über dem Sumpf gekreist war, fiel sein Blick auf eine unberührte Biegung im Fluß. Mit schlagenden Flügeln, wie ein Schmetterling, setzte das Pteromobil auf einem grasbewachsenen Feld auf. Der starke Luftstrom bewegte die purpurne Flamme der Zypressen. Ein winziger Vogel schoß erschreckt aus den Kiefern hervor. »Wit, wit, wit«, rief er, und seine Stimme, die wie ein Schluckauf klang, verlor sich im Wald.

Gleb, der sein Glück noch nicht fassen konnte, machte sich an die Erkundung der felsigen Landzunge. Auf einer Seite bildeten die Wasserlöcher im Sumpf eine gepunktete Begrenzungslinie. Im Fluß tummelten sich Fische. Es gab keine verkohlte Asche, die von Lagerfeuerstellen gezeugt hätte, keine Fußabdrücke auf dem blendendweißen Sand des Flußufers. Zeichen des Hochwassers im Frühjahr – Büschel getrockneten Grases – wehten im Gestrüpp, Signalflaggen gleich. Gleb stieß einen Schrei des Wohlbefindens aus. Irgendwie war diese Stelle den Touristen entgangen! Sein Traum hatte sich erfüllt. Er war dort, wo er hin wollte.

Tage vergingen, erfüllt von dem Rauschen des Grases, von gemächlichen Wolkenbewegungen, von Sonnenwärme. Vielleicht war das alles nur ein schrulliger Einfall. Die Malerei vermittelte das unretuschierte Bild einer Natur, von der fast nichts mehr übrig war – doch wozu? Da waren Schischkin, Levitan, Scharen anderer Künstler, denen dies nicht exotisch erschienen war – was vermochte er auszusagen, das sie nicht schon geleistet hatten?

Die Idee war auf langsame und schmerzhafte Weise gereift, wie ein Baum, der seine Wurzeln tief in die Erde treibt, bevor er eine dichte Krone ausbildet. Seine Vorgänger hatten die Natur mit anderen Augen gesehen. Für sie war eine Flußbiegung wie diese beständiges Material für ihre Kunst. Für ihn jedoch stellte sie einen kurzen Augenblick einer

Landschaft dar, die im Verschwinden begriffen war. Dies war sein Privileg – er betrachtete die Natur, die einst das Antlitz der Erde beherrscht hatte, mit den Augen eines Fremden. Er bewohnte ein Land der Raketen und klugen Maschinen. Er kannte die Landschaftsbilder von Mond, Venus und Mars. Und dort, wo die Maler der Vergangenheit Hausherren gewesen waren, war er der Gast, für den alles fremdartig und neu war. Ein Gast in einer Behausung, die in Kürze dem Erdboden gleichgemacht werden würde und einen letzten Abschiedsgruß verdiente.

Doch ein Gast verspürt nicht gleich die Bedeutung dessen, was dem Gastgeber gehört, und entwickelt nicht gleich eine Beziehung dazu. Dieser Schwierigkeit war Gleb sich von Anfang an bewußt.

Wie ein Raumschiff über einem fremden Planeten immer niedrigere Kreise zieht, um so genau wie möglich zu landen, hatte Gleb, der die Widerspenstigkeit seiner Umwelt fühlte, sich diesem Gemälde über Jahre hinweg genähert, wobei er mit jeder Fahrt dem Herz seines Themas näherkam.

Seine Hauptschwierigkeit lag darin, die vorbeiziehende Landschaft mit dem Einfühlungsvermögen des Hausherrn zur Kenntnis zu nehmen und dennoch die Frische des neugierigen Passanten beizubehalten. Sein wichtigstes Anliegen war es gewesen, unberührte Flecken ländlicher, russischer Gegend zu finden. Die offiziellen Schutzgebiete hatten ihn enttäuscht. Sie wirkten vollkommen echt, aber an seinem ersten Tag dort war Gleb auf eine Schlucht gestoßen, die man säuberlich mit Beton eingefriedet hatte, um zu verhindern, daß der Regen den Beton weiter auswusch. Er konnte dort nicht arbeiten, er war wie ein Taucher, der mit seinem alltäglichen Leben brechen und seine eingefahrenen Gewohnheiten überwinden mußte, um auf den Grund zu gelangen. Eine einzige falsche Bewegung würde ihn zurück an die Oberfläche befördern.

Und es wurde zunehmend schwieriger, Stellen zu finden, die nicht auf die eine oder andere Weise die Anwesenheit des Menschen verrieten, der die Dinge ständig, wie es ihm paßte, umgestaltete. Da verreiste er über den Sommer und stellte fest, daß die Erde jetzt noch von vierzig Millionen Menschen zusätzlich bevölkert war, die in seiner Abwesenheit das Licht der Welt erblickt hatten. Und ein jegliches Mehr war wie eine Flutwelle, überspülte eine kleine Insel nach der anderen.

Der Maler gab nicht auf – er suchte, er fand Plätze, er untersuchte, durchdachte sie. Doch zu seinem Pinsel griff er nicht. Auch ein Schütze drückt schließlich nicht auf den Abzug, wenn die Zielscheibe mit Kimme und Korn fluchtet, sondern erst, wenn er spürt, daß der Schuß sitzt. Und so wartete Gleb darauf, daß die innere Stimme sagen würde: »Jetzt!«

Und in diesem Sommer vernahm er sie.

Ohne sich dessen bewußt zu sein, war er bestrebt, alles – ob er nun lief, schwamm oder Holz zum Feueranzünden sammelte – so gelassen wie möglich zu tun, als befürchtete er, irgend etwas zu verscheuchen. Aus diesem Grund schaltete er auch nie sein Meaphon ein, denn ein Drehen an der Wählscheibe hätte die laute Welt eindringen lassen, die unter Hochspannung stehende Welt der Geschäfte und Unternehmungen, die vor Energie und Elektrizität nur so knisterte. Dort in seiner Welt bedeutete der Milliardenbruchteil einer Sekunde etwas – die Zeit, die eine thermonukleare Reaktion, das Triebwerk eines Raumschiffs zum Zünden braucht. Hier standen die Stunden still. Nur eines machten sie deutlich: das Erdzeitalter, in dem der Mensch erschienen war.

Eines Morgens machte Gleb eine furchterregende Entdeckung: ein Servoroboter stand da unter einem Strauch. In seinen Fühlern war ein Leuchten.

»Verschwinde!« flüsterte Gleb. »Ich habe dich nicht gerufen.«

»Du kamst hierher, und es ist meine Aufgabe, dir zu helfen.« In der Stille quietschte die weinerliche Stimme des Roboters wie ein Fingernagel auf einer Tafel.

»Verzieh dich!«

»Ich bin ein Parkie, mir obliegt es, den Touristen zu helfen. Ich räume Äste weg, töte Schlangen, koche . . .«

»Du verschwindest sofort! Das ist ein Befehl!«

Der Roboter bewegte seine Fühler – aus seiner Sicht verhielt der Mensch sich seltsam. Doch ein Befehl war ein Befehl, und gehorsam zog der Roboter sich zurück. Es war wieder still, doch in Glebs Ohren klang noch qualvoll das Geräusch des Fingernagels auf der Tafel.

Wenn eines mich rettet, dann ist es die Zeit, sagte der Maler sich. Es gibt genügend unberührte Flecken, die mir mein Lebtag reichen. Und es wird genug Zeit sein, um zu finden, was mir entgangen ist, um verlorene Zeit aufzuholen und meine Fehler zu berichtigen. Ich bin froh, daß ich mich nicht beeilen muß.

Er hatte recht. Mit einer Geschwindigkeit, die ihn erstaunte, machte er eine Studie nach der anderen. Und er begann das Bild in seiner Gesamtheit zu sehen: nur ein Weilchen mußte es noch reifen.

Gleb stand mit der Sonne auf, wenn über Fluß und Sumpf der Nebel trieb; er trank dampfenden Tee und machte sich an die Arbeit. Er malte am Mittag, wenn das Gras vor Hitze grau wurde; am Abend, wenn die Schatten sich verdichteten und das Licht das Grün vergoldete; am Morgen sah er, wie die Farben erwachten – dann war das Blau hell, doch alles Rote strahlte matt, wie glühende Kohlen.

Den ganzen Tag über herrschte ein stetes, leises Summen – das immerwährende Lied der Stechmücken. Seiner Arbeit war das Summen eine besänftigende Kulisse. Doch nachts ließ es ihn vor Wut mit den Zähnen knirschen; das hämische Lied der Blutsauger raubte ihm den Schlaf, verkündete und begleitete es doch ihren Angriff. Natürlich hätte Gleb zurückfliegen und seinen Wächter holen können, und dann hätte ihn nichts mehr gestört, doch wollte er nicht einen ganzen Tag verschwenden und in den Lärm der Stadt eintauchen, der die Geräusche des Waldes ertränken würde. Und es wäre unaufrichtig gewesen, nur an den angenehmen Seiten der Natur teilzuhaben, sich vor ihren Unannehmlichkeiten zu drücken, mit denen der Mensch in der Vergangenheit sich stets herumgeschlagen hatte. Deshalb fand er sich mit der eisigen Feuchtigkeit der langen Regenfälle und dem eintönigen Alleinsein ab – mit all dem Unangenehmen, dem die Touristen sich vermittels plappernder Meaphone und den Diensten von Robotern entzogen.

Nichtsdestoweniger konnte er sich nicht vollkommen von der Zeit abschirmen. Nachts, wenn im Fluß die krausen Spiegelungen der Sterne aufleuchteten, und er sehen konnte, wie sich eine Karte des Universums zu seinen Füßen erstreckte, durchschnitten Raumschiffe, die zu anderen Planeten unterwegs waren, diese Himmelskarte. Ihr Vorhandensein störte ihn nicht. Im Gegenteil, die Leuchttransparente seines Zeitalters am nächtlichen Himmel ließen ihn nicht vergessen, daß er ein zeitgenössischer Maler war, der dem Niedergang der Natur einen letzten Gruß entbot, so wie man sich von jemandem verabschiedet, der einem nahesteht und den man dann vergißt. Der Himmel war eine Brücke zwischen Vergangenheit und Zukunft.

Und doch bedrückte der Anblick des Himmels ihn manchmal. Gleb vermochte die Psychologie seiner Vorfahren, deren Leben sich in der Umgebung von Wäldern und Sümpfen abgespielt hatte, nicht zu begreifen. Es hätte ihn überfordert, ein solches Leben zu führen. Jemanden, der an den Wirbelwind des Geschäftslebens und die Vielfältigkeit des Zivilisationsangebots gewöhnt und im Weltraum unterwegs gewesen war, konnte ein stilles Dasein inmitten von Feldern und Sonnenaufgängen nicht lange in seinem Bann halten. So jemand verehrt in seinem Herzen andere Götter.

Es kam ein Tag, da der Himmel hoch und von Morgen an grau war. Das Wasser wirkte wie gewöhnlich bedrohlich, machte düstere Miene angesichts des Wetters, und es ging keinerlei Wind. Gleb schätzte Tage wie diesen – das Licht wandelte sich nur allmählich, das Auge brauchte keinen schnellen Lichteffekten nachzujagen, und er konnte gemächlich arbeiten und jeden Pinselstrich überdenken.

Er ging ganz in seiner Arbeit auf. Doch irgend etwas störte ihn. Die Farbe der Pflanzenwelt wurde stumpfer, da kroch ein Schatten über sie, obwohl ansonsten alles unverändert schien. Gleb war erregt, denn es gelang ihm nicht, den Grund der Veränderung zu begreifen. Er konzentrierte sich noch stärker, denn dies war die einzige Art zu begreifen, die er kannte.

Auf seine Hand fiel ein kalter Tropfen und ließ ihn erschaudern. Das starke Grün des Tropfens zeugte von seiner chemischen Beschaffenheit. Wie komme ich dazu, mich mit chemischer Farbe zu bespritzen? dachte Gleb und untersuchte den Tropfen ungläubig. Dann raschelte es im Gebüsch, und mehrere Tropfen fielen auf seine Hände, sein Gesicht und seine Kleidung. Alle waren von schreiend wildgrüner Farbe. Gleb sprang auf.

Es goß nur so. Grüner Regen. Die säuregrünen Ströme fielen von oben und wurden von den Seiten angeweht, als hätte jemand eine riesige Dusche aufgedreht. Die chemische Farbe troff von den Blättern, wurde vom Boden aufgesaugt und erfüllte die Luft. Sie drang überall durch, und es gab vor ihr kein Entrinnen. Und schon war das echte Grün von dem künstlichen wie von einer Schicht Schellack überzogen.

Gleb war wie gelähmt. Und er war triefend naß. Sein bildliches Erinnerungsvermögen hatte auf immer den Anblick der Chemie verinnerlicht, die über die Natur triumphierte, über die Palette zarter Schattierungen und feiner Zwischentöne. Alles war von Menschenwerk eingehüllt, von Menschenwerk, das von einem blinden Auge ins Bild gesetzt worden und im Schoß einer Retorte zur Welt gekommen war.

Der Maler stürzte in sein Zelt. Es mußte eine Erklärung für diese Entweihung geben. Zum Glück gab es in dieser Gegend keine Geheimnisse, und man konnte auf jede Frage eine Antwort bekommen. Er schaltete das Meaphon ein.

»Was geht hier vor?« Er gab die Koordinaten des Flusses an.

Die Maschine summte ein paar Sekunden lang – Tausende von Kilometern entfernt sah ein Rechner seine Speicher, vollgestopft mit Milliarden von Informationseinheiten, nach einer Erklärung für ein winziges Ereignis im Tal eines unbedeutenden Flusses durch.

Schließlich übertönte eine neutrale Stimme das Geräusch des Schauers.

»Besprühen von Gebieten, die schädlichen Insekten als Brutstätte dienen. Wird mittels regenartiger Zerstäubung einer chemischen Zusammensetzung vorgenommen.« Die Stimme nannte die Fachbezeichnung.

»Warum, warum ist der Regen grün?« schrie Gleb.

»Die Zusammensetzung war in farblosem Zustand nicht erhältlich«, erwiderte die neutrale Stimme. »Man hat Grün hinzugefügt, um während der Desinfektion den ästhetischen Genuß der Landschaft nicht zu beeinträchtigen. Sowohl die Zusammensetzung als auch die Tarnfarbe sind vollkommen unschädlich.«

Gleb schleuderte das Meaphon beiseite. Narren! »Ästhetischer Genuß!« In ihren Augen war alles Grün gleich.

Er sah sich um. Der Regen hatte aufgehört, und die Sonne war hervorgetreten. Alles erstrahlte in einförmigem Glanz. Der tote Schellack hatte das Spiel von Licht und Schatten ausgelöscht, die Nuancen eingeebnet und alles in das gleiche, häßliche Grün verwandelt.

Das reichte. Selbst wenn die Politur bis zum Abend verschwand, war das egal. Er war zu spät dran mit seinen Vorstellungen. Niemals mehr würde er jetzt diesen Anblick los, das tote Bild des künstlichen Grün würde ihn verfolgen. Überallhin, und vielleicht auf immer.

Schnell hatte Gleb zusammengepackt. Es hielt ihn jetzt hier nichts mehr. Er verstaute seine Habe in dem Pteromobil. Er sah sich ein letztesmal um. Bäume, Gras und Sträucher waren gleich. Hell, hellgrün.

Noch etwas fehlte. Gleb wußte nicht gleich, was es war. Ja, das Summen der Stechmücken war verschwunden. Die Scharen seiner Peiniger würden nie wieder jemanden belästigen.

Gleb setzte das Pteromobil in Gang.

WAS WIRST DU WERDEN?

Der Besucher trat sich ziemlich lange die Füße auf der Matte ab, und seine Brillengläser funkelten. Dann wickelte er sich aus einem endlosen Schal und schälte sich schließlich, mit einem scharfen »Nein, nein, das mache ich schon selbst«, aus seinem Pelzmantel. Jarantsew wandte seinen Blick diskret zur Tür, wo die Peristalsis des Bodens soeben die schmutzige Matte verschluckte.

Und der Wandel entging ihm. Einen Augenblick zuvor war da noch ein in sich zusammengesunkener alter Mann gewesen, der laut in der Eingangshalle herummeckerte, und jetzt stand, den zerzausten Bart hoch erhoben, ein drahtiger, hagerer Don Quichotte vor ihm, der Jarantsew kühn anblickte.

»Herein!« sagte Jarantsew, und schluckte seine Überraschung hinunter. »Womit kann ich Ihnen dienen?«

Die altmodische Begrüßung rutschte ihm einfach so von allein über die Lippen.

»Ich komme vom Studio. Ich bin wegen Mick hier.«

»Schafft er Probleme?«

»Ob er welche schafft?« Die Augenbrauen des Alten zogen sich vorwurfsvoll zusammen. »Das ist das falsche Wort. Es kann nie diese herabsetzende Bedeutung haben, denn es handelt sich um ein großes, ein wichtiges Wort!«

»Verzeihung. Worum handelt es sich?«

»Es handelt sich darum, daß Mick dabei ist, ein Verbrechen zu begehen.«

Jarantsew spürte, wie ihn ein kalter Schauer überlief. All seine Ängste wurden lebendig. Er hatte ständig, seit dem Tag, da Mick geboren wurde, unter der Geißel der Angst gelebt.

»Fahren Sie fort!« sagte er dumpf. »Als sein Vater sollte ich alles wissen. Was für ein Verbrechen?«

»Das schwerste Verbrechen, das ein Mann seinem eigenen

Maßstab zufolge begehen kann. Mick ist dabei, das Studio zu verlassen.«

Die Erleichterung war so groß und unerwartet, daß sich Jarantsews Kehle ein heiseres Lachen entrang. Der Schnurrbart des Alten sträubte sich vor Zorn.

»Glauben Sie mir, die Sache ist nicht lächerlich!« rief er. »Wenn Sie, als sein Vater, nicht begreifen . . .«

»Verzeihung«, sagte Jarantsew. »Ich bemühe mich, das alles zu begreifen. Doch beginnen wir mit dem Anfang. Mick hat also vor, aus dem Studio auszusteigen. Schade. Ich glaube, er war dort ziemlich erfolgreich.«

»Ziemlich? Keinesfalls. Nicht bloß ziemlich – er ist außerordentlich!«

»Verhält sich das so? Das ist mir neu.«

Und auf miese Art neu, dachte Jarantsew. Ich hatte soviel Angst davor, mir Mick durch allzu autoritäres Verhalten zu entfremden, daß ich unverzeihlich nachlässig geworden bin. So wie die meisten Väter halt.

»Mick ist nicht sehr mitteilsam«, fuhr er laut fort. »Ich habe beim Studio nachgefragt. Nach dem, was man mir gesagt hat . . .«

»Es hätte nicht anders ausfallen können«, sagte der Alte und runzelte die Stirn. »Mick ist ein einzigartiger junger Mann, und Lob muß man sorgfältig austeilen!«

Einzigartig? dachte er. Das mit Sicherheit.

»Einen Augenblick«, bat der Alte. »Sie sagen, Sie hätten im Studio nachgefragt? Wann war das?«

»Ich erinnere mich nicht genau. Wie es scheint, habe ich nicht mit Ihnen gesprochen.«

»Seltsam, sehr seltsam. Ich bin nicht nur Micks Lehrer, ich bin auch Leiter des Studios. Ich hätte das wissen müssen. Nichtsdestoweniger . . .«

»Ich hätte von Micks Erfolg wissen sollen, aber das ist, wie Sie sehen, nicht der Fall«, unterbrach ihn Jarantsew rasch. »Doch soweit ich sehen kann, geht es darum nicht. Mick hat vor, das Studio zu verlassen, und Sie sind der Meinung, daß er damit einen Fehler begeht.«

»Einen riesigen, unverzeihlichen Fehler. Er ist der geborene Denkistiker.«

»Wirklich?« fragte Jarantsew mißtrauisch.

»Mein Name, der Name Andrei Iwanowitsch Polosuchin, bedeutet Ihnen offenbar nichts«, sagte der alte Mann und richtete sich stolz auf. »Das macht mir nichts aus. Aber Sie können Seding fragen, Sie können Benkowski fragen – ich hoffe, von denen haben Sie gehört? Man wird Ihnen sagen, daß Polosuchin Begabung zu beurteilen weiß.«

»Ich glaube Ihnen. Es kommt nur so überraschend. Mick – ein geborener Denkistiker. Wer hätte das gedacht?«

Ja, das ist das einzige, worauf niemand gekommen wäre, dachte er bei sich.

»Ich sage folgendes«, sagte der Alte und erhob seinen Zeigefinger. »Diese Erklärung ist notwendig, da die Denkistik nicht zu Ihren Interessen zählt, und ich möchte Sie diesbezüglich auf meiner Seite haben. Viele Menschen sind der Meinung, es handele sich hierbei nur um eine neue Form von Kunst. In Wahrheit ist es eine Synthese, der Gipfelpunkt der ältesten Künstlerträume ...«

»Ja, fahren Sie doch bitte fort«, sagte Jarantsew, als er, unfähig, still sitzenzubleiben, im Zimmer auf- und abzugehen begann. »Ich bin ganz Ohr.«

Doch das stimmte nicht. Er kannte die Denkistik, und er mußte seine Gedanken sammeln. Denkistik? Nun, das war eine neue, vielversprechende, komplexe Kunst. Natürlich handelte es sich um eine Synthese. Eine Mischung aus Malerei, Skulptur, Stereofilm, und vielleicht auch Drama und Biotonik und Holographie. Es ging um die direkte Erzeugung von leuchtenden Bildern, ohne die Hände einzusetzen, von Bildern, die gänzlich unkörperlich waren, aber, wenn nötig, von der Wirklichkeit nicht zu unterscheiden. Ein Mensch sitzt da und denkt nach, und eine komplizierte Anlage, die seine Gedanken erfaßt, wandelt die Vorstellung in Farben, Bewegungen und Töne um, verleiht den Erscheinungen des Verstandes Form, Körperlichkeit, die unecht waren und doch so wirklich wie das Leben selbst. Eine dritte Art von Natur? Auf jeden Fall war es nicht nur eine Synthese aus neuester Technologie und den ältesten Kunstformen überhaupt, sondern ein qualitativ anderes künstlerisches Niveau. Bis jetzt gab es nur einige wenige, die diese neue, schwierige Sprache zu beherrschen gelernt hatten. Es war so, wie in den frühen Jahren des Films: eine großartige, neue Methode, um die Wirklichkeit zum Ausdruck zu bringen, und sehr wenige Schöpfer, die ihr Leben einzuhauchen imstande waren.

Und eine dieser Hoffnungen war Mick? Unmöglich, undenkbar! Jedoch was wäre zu einer Zeit, da es keine Physik gab, aus einem begabten Physiker geworden – ein Zauberer? Oder aus einem Filmregisseur vor der Zeit des Films? Könnte es so sein, daß die Natur einen Menschen für eine genau abgegrenzte Tätigkeit entwirft, und daß, wenn es eine solche Stelle für ihn im Leben nicht gibt, sein Schicksal nur auf eine verrückte, sinnentleerte Weise verläuft? Nur Spekulation; verdammt, wir wissen ja nicht das Geringste ...

»... und statt dessen will Ihr Sohn Bezwinger werden? Wissen Sie das?«

Jarantsew nickte. Es stimmte, Mick war ganz versessen darauf, ungezähmte Planeten zu bezwingen. Eine seltsame Situation!

»Sie wollen also«, schloß Jarantsew, »daß ich Mick die Idee mit dem Aufhören ausrede?«

»Genau. Darauf bestehe ich!«

»Und wenn nun aber seine zweite Neigung stärker als die erste ist?«

»Unmöglich. Das sind nur Rastlosigkeit und romantische Schwärmerei, verstärkt durch das weit verbreitete Interesse an den Entfernungen im Kosmos. Das Schöpferische, das Erschaffen von Wertvollem mit Hilfe von Verstand und Gefühl – das ist seine wahre Berufung, nicht der rohe Angriff auf unberührte Welten. Das versichere ich Ihnen!«

»Angriff?« wiederholte Jarantsew. »Was für eine unerwartete Gedankenverbindung.«

»Weshalb?« fragte der Alte. »Der Kampf mit den Elementen ist, so wertvoll und wichtig er auch sein mag, eine Tätigkeit, die der Kriegsführung verwandt ist – er muß es sein, oder er bleibt erfolglos.«

»Und Sie glauben, Micks Charakter sei nicht hinreichend kriegerisch?«

»Darin liegt das Problem nicht.« Die Antwort kam in leicht gereiztem Tonfall. »Es gibt hier größere wie auch weniger große Aussichten, und die falsche Wahl ist für die Gesellschaft ein Verlust, und noch schlimmer für einen Menschen, der . . .«

Jarantsew warf einen heimlichen Blick auf das Bild von Mick. Das Gesicht eines jungen Mannes, mit hochstehenden Backenknochen, gegerbt und nicht allzu gut aussehend, doch mit starkem Charakter, sah von der Wand herab. Die klaren Augen nahmen die Welt begierig auf; auch zeugten sie von einer träumerischen Tiefe, als lauschte er gerade einer inneren Stimme. Ein interessantes, lebhaftes und nicht sonderlich außergewöhnliches Gesicht von einem zeitgenössischen Jugendlichen.

Zeitgenössisch? Natürlich, was sonst?

Der Alte bemerkte Jarantsews Blick.

»Ich sage ihm keinen künstlerischen Lorbeer voraus, doch ersparen Sie ihm ein Schicksal, das für ihn offensichtlich das falsche ist.«

»Schicksal . . .«, sagte Jarantsew mild. »Wissen wir über seine Zusammensetzung eigentlich sehr viel? Ich habe eine Frage an Sie. Wenn es keine Denkistik gäbe, wäre Micks Begabung dann ebenso ausgeprägt gewesen für, sagen wir, Malerei?«

»Nein.« Der Alte schüttelte das Haupt. »Nein.«

»Warum nicht?«

»Das ist leichter zu spüren als zu erklären. Sehen Sie, Malerei und auch Bildhauerei sind statische Künste. Nicht im Ausdrucksinne, aber . . . äh . . . wenn auf einer Leinwand Pferde laufen, sind Sie dann imstande, sie sich außerhalb der Leinwand vorzustellen? Können Sie im Zimmer ihren

Hufschlag hören, den heißen Luftzug des Galopps auf Ihrem Gesicht spüren?«

»Das ist schwierig.«

»Na bitte! Aber Denkistik ist die Kraft, eine ganze Welt zu erzeugen! Nicht nur einen Ausschnitt, eine Attrappe, sondern die Welt selbst! Es erfordert räumliche Spannung, den dynamischen Ausdruck aller Sinne. Ich drücke mich vielleicht nicht sehr klar aus – die Terminologie ist noch nicht entwickelt, und ...«

»Kann ich daraus schließen, daß Denkistik verschiedene Persönlichkeits- und Charakterzüge erfordert, die für Malerei ganz und gar nicht erforderlich sind?«

»Verzeihung, doch ich bin kein Psychologe. Aber in gewissem Maße ... ja, das nehme ich an. Aber wir entfernen uns wieder vom Ausgangspunkt.«

»Wirklich? – Gehen wir doch logisch vor! Sie wollen Micks Sehnsucht nach dem Risiko und der Schlacht unterdrücken – eine stark ausgeprägte Sehnsucht, so sehr sie auch Zeiterscheinung und vergänglich sein mag. Einmal angenommen, er fügt sich uns, wiewohl ich das bezweifle. Was wird dann aus ihm?«

»Habe ich Sie nicht überzeugt?«

»Nein.«

»Sie weigern sich, mir zu helfen?«

»Ganz und gar.«

Der Alte starrte auf seine Hände hinunter, und plötzlich wirkten diese Hände, mit den knorrigen Venen unter der pergamentähnlichen Haut, wie die Wurzelstöcke eines einst mächtigen und nunmehr kraftlosen Körpers.

»Seien Sie mir bitte nicht böse«, sagte Jarantsew sanft. »Wenn Mick geht, werden andere kommen, die vielleicht viel begabter sind.«

»Also gut«, sagte der Alte, und seine Hand sauste abrupt auf den Tisch herab. »Sie wollen meinen Standpunkt nicht wahrhaben, aber ich kämpfe in diesem Falle bis zum Schluß. Das ›Recht auf Begabung‹ ist Ihnen selbstverständlich bekannt?«

»Was soll das? Sie haben doch nicht vor, davon Gebrauch zu machen?«

»Das habe ich sehr wohl!« Es klang wie ein Schlachtruf. »Ein Mensch kann mit seiner Begabung frei tun, was ihm beliebt, sofern seine Anwendung derselben nicht strafbar ist und er sie durch sein Verhalten nicht zerstört. Im letzteren Falle hat, da der Verlust einer Begabung der Gesellschaft Schaden zufügt, die Gesellschaft das Recht, auf den einzelnen Einfluß auszuüben, ohne auf Gewaltanwendung zurückzugreifen. Ich werde nachweisen, daß ein solcher Eingriff in Micks Leben erforderlich ist!«

»Sind Sie sich der Folgen bewußt?« Vor Zorn und Erheiterung war Jarantsew bereit, in die Luft zu gehen. »Die Gesellschaft trägt auch eine Verantwortung: Einzelne, die sich dem Ausdruck einer Begabung oder der Persönlichkeitsentwicklung in den Weg stellen, tragen eine schwere Last. Macht Sie das nicht besorgt?«

»Nein, denn mir liegt an Micks Zukunft!« Die Antwort war unerschütterlich.

Was für eine verfahrene Situation! dachte Jarantsew. Halte ich mich hier heraus, so erreicht dieser Besessene womöglich sein Ziel. Dann fällt Mick einfach durch die Aufnahmeprüfung – er wird nicht einmal einen Verdacht hegen. Beim zweiten Versuch, oder spätestens beim dritten, werden sie ihn annehmen, denn solche Zähigkeit deutet auf echtes Interesse für einen Beruf hin. Aber soll er all das durchmachen müssen? Planeten bezwingen ... Es könnte nicht schaden zu wissen, was ihn so dazu hinzog – eine Mode oder ererbte Charakterzüge? Vielleicht sollte ich einfach alles seinen Gang gehen lassen. Nein, es ist eine Einmischung allergröbster Art. Aus diesem Grund muß der Versuch im Keim erstickt werden. Natürlich könnte es gelingen, aber wieviele Leute müßte man einweihen? Es ist riskant ...

Während er nachdachte, beobachtete Jarantsew den Alten. Er wirkte erstarrt, als schleuderte er einen Speer, als sei er bereit, einen Angriff abzuschlagen, bereit, für seine Sache zu sterben. Ein echter Don Quichotte. Nur daß seine alten

Finger bebten und sein Blick aus feuchten Augen auf Micks Porträt ruhte, und so tiefe Trauer lag darin ...

Er liebt ihn! wurde Jarantsew klar. All dies liegt an seiner Liebe zu Mick, seinem begabtesten und vielleicht letzten Schüler, der für all seine Hoffnungen steht. Daher kommt auch sein Versuch, ihn zu beschützen und zu leiten. Und der undankbare Mick ... Undankbar? – So niedergeschlagen, wie Mick in letzter Zeit war. Und ich dachte, blind wie ich bin, es sei unerwiderte Liebe. Jetzt sieht es so aus, als handle es sich um etwas ganz anderes. Ja, so muß es sein. Ach, Sohn, wenn du dich nur kennen würdest, wie du einst warst ...

»Haben Sie Enkelkinder?« fragte Jarantsew plötzlich.

Der Alte richtete sich auf.

»Nein. Entschuldigen Sie, aber was hat das hiermit zu tun?«

»Und Kinder haben Sie auch keine«, fuhr Jarantsew voller Zuversicht fort. »Aber mit dem, was ich Ihnen jetzt sagen werde, hat das wirklich nichts zu tun. Wer, glauben Sie, ist Mick?«

»Was meinen Sie damit? Mick ist Mick, so wie Sie Sie sind und ich ich bin.«

»Nicht ganz. Sie sind Sie, ich bin ich, aber Mick .. Vor ein paar Minuten, als Sie über die Zukunft sprachen, gebrauchten Sie die Wörter ›kriegerisch‹ und ›Angriff‹. War das Zufall?«

»Ich verstehe nicht.«

»Das müssen Sie aber«, forderte Jarantsew. »Das Bezwingen von Planeten, der Kampf mit den Elementen, hat bei Ihnen eine Kette gedanklicher Verbindungen ausgelöst: Angriff, Krieg ... weiter, was fällt Ihnen noch ein? Nicht nachdenken, antworten Sie einfach, was Ihnen zuerst einfällt. Also?«

»Barbaren«, murmelte der Alte. »Aber ...«

»Namen, die damit verbunden sind? Angriff, Barbaren ... wer?«

»Dschingis Khan, Attila ...«

»Halt! Mick ist Attila.«

Der Alte starrte Jarantsew aus glasigen Augen an.

»Da haben Sie recht. Nur ein Barbar könnte so mit seinem Talent umgehen.«

»Sie verstehen mich falsch«, sagte Jarantsew und senkte die Stimme. »Es ist mir egal, ob Sie denken, daß Mick sich wie ein Barbar benähme. Er ist Barbar von Geburt. Er ist Attila. Die ›Geißel Gottes‹, die vor fünfzehnhundert Jahren Europa verwüstete. Er hat Attilas Gehirn, Attilas Blut. Das ist kein bildhafter Ausdruck – er *ist* Attila.«

»Sehr interessant«, sagte der Alte eisig. »Wie soll ich das Ihrer Meinung nach deuten? Einmal abgesehen von dieser wirren Phantasterei ...«

»Ich phantasiere nicht«, sagte Jarantsew müde. »Vor einem Vierteljahrhundert hat man Attilas Grab entdeckt und ausgehoben. Eine einzige lebendige Zelle enthält den genetischen Code für den gesamten Organismus. Die Zellen hat man gefunden, und alles übrige war eine Frage embryonischer Technologie – die nicht einmal sehr kompliziert ist. Das Kind Attila wurde geboren, wiedererweckt, geschaffen – ganz wie Sie wollen. Wir haben keine Kinder, also adoptierten wir ihn. Seit Magda starb, habe ich Attila-Mick selbst erzogen. Jetzt ist er erwachsen. Das ist die ganze Geschichte.«

Diesmal sickerten seine Worte, die er so ruhig gesprochen hatte, ein. Der Körper des Alten schrumpfte, zog sich zusammen, eine Unmenge neuer Falten überschattete sein Gesicht, und Bart und Schnurrbart, jetzt viel weißer, traten hervor und wurden zum herausragenden Merkmal seines Gesichts, aus dem jeder Ausdruck gewichen war.

Eine Minute ging das so, und dann leuchteten seine Augen wieder auf, brach eine leuchtende Flamme durch die Asche.

»Wieso Mick?«

Die Stimme war so tonlos, daß Jarantsew die Frage zuerst nicht hörte und dann nicht ganz verstand.

»Irgendwie mußten wir den Jungen ja nennen.«

»Warum?«

»Warum was?«

»Das alles ...«

»Aber das ist doch klar! Die Frage der Umwelteinflüsse versus Erbanlagen. Hier ist der neu erstandene Attila. Und hier unsere Gesellschaft. Was wird aus der blutigen Geißel werden?«

»Sie wurden sein Vater?«

»Ja.«

»Der Versuch machte das erforderlich.«

»Natürlich.«

»Wo Sie Micks Vergangenheit haßten, sich seiner Gene bewußt waren und Bekundungen seines Charakters fürchteten ...«

Jarantsew runzelte die Stirn.

»Die Vergangenheit ist vergangen«, sagte er scharf. »Schwamm drüber!«

Der Alte nahm seine Brille ab, als sähe sie etwas, das sie nicht sehen sollte. Nach einer Pause fragte er Jarantsew, ohne ihn anzublicken: »Natürlich weiß Mick nicht, wer er ist?«

»Das wird er auch nie. Nur ganz wenige kennen das Geheimnis.«

»Auch, wenn ich es ihm sage?«

»Das werden Sie nicht.«

»Da haben Sie auch wieder recht.«

Ich werde vieles verschweigen müssen, dachte der Alte, voll bitterer Ehrfurcht und Mitleid Jarantsew gegenüber, und er fühlte sich gebrochen und hilflos angesichts der blendenden, unermeßlichen Größe dessen, was diese Leute, die er nicht begriff, zu unternehmen gewagt hatten.

Kein Wunder, daß er in Micks allerersten Arbeiten etwas zutiefst Persönliches verspürt hatte. Es war eine weite Ebene gewesen, hoffnungslos grün und flach, mit der winzigen Figur eines Kindes, das verzweifelt auf den Horizont zulief. Und besorgt und unablässig sah die Sonne, das Schlimmste erwartend, vom Himmel auf das Kind herab.

In Jarantsews Augen sah der Alte den gleichen Ausdruck. Der Mann, der Micks Vater und Attilas Erzieher gewesen war. Der da wußte und lebte, liebte und fürchtete, einen Sohn aufzog und einen Versuch fortsetzte. Und der offensichtlich nicht begreifen konnte, warum Mick bestrebt war, seinem Zuhause so weit wie möglich zu entkommen.

SO ETWAS GIBT ES NICHT

In seinen Experimenten besaß Professor Artsinowitsch die Durchdringungskraft von Schwefelsäure und die Unerschütterlichkeit von Molybdänstahl. Doch selbst Stahl ermüdet. An jenem Tage tanzten Punkte so wild vor seinen Augen, daß er, aller Gewohnheit zum Trotz, sein Fahrrad nahm und sich an die frische Luft begab.

Unweit der Akademiestadt begann die Gegend ländlich zu werden, und nach kurzer Zeit fand sich der Professor an einem ihm unbekannten Ort wieder. Die Sonne schien friedlich herab; links der staubigen Straße wuchsen Kiefern, rechts reifte ein Feld voller Hafer, und geradeaus kam ein Mann auf Artsinowitsch zugeflogen.

Genauer gesagt, gab ein leichter Wind dem Mann Auftrieb, und er machte bloß schwimmende Bewegungen wie ein Frosch. An seinen Knien blähte sich seine zerknitterte Hose.

Der Professor drückte auf die Bremse, bis er zum Stehen kam. Ich bin ehrlich überarbeitet, dachte er. Ich habe Erscheinungen.

Der Wind legte sich, und der Mann hing etwa eineinhalb Meter über Artsinowitsch in der Luft. Der Professor blickte zu ihm auf. Er hatte großes Mitleid mit sich.

»Sagen Sie«, bat er schließlich, »wissen Sie, woran man eine Sinnestäuschung erkennt?«

»Nein«, erwiderte der Mann rauh. »Weiß ich nicht.«

»Natürlich, natürlich«, stimmte Artsinowitsch zu. »Wie sollten Sie auch, wo Sie doch selbst eine Sinnestäuschung sind? Unglücklicherweise liegt dies auch noch außerhalb meines Spezialgebiets.«

»Ich bin keine Sinnestäuschung«, gab der Mann zurück. »Ich heiße Sidorow. Ich habe sogar meine Papiere dabei.«

Er betastete die Taschen seiner herabhängenden Jacke und blickte dann bestürzt drein.

»Ich habe sie in meiner Anzugjacke vergessen.«

Artsinow Artsinowitsch nickte verständnisvoll.

»Wie könnte es anders sein. Eine Täuschung des Gesichts- und Gehörsinns ist eine Sache, aber eine, die ihre Papiere zückt, ist etwas ganz anderes. Barer Unsinn nämlich!«

»Was?« bat der Mann.

»Unsinn!«

»Aha . . .«

Der Mann brach verwirrt ab.

Der Professor war in Gedanken versunken. Er war verstört und beunruhigt, aber doch stolz, daß er sich wie ein wahrer Wissenschaftler verhielt: weder verlor er den Kopf, noch geriet er in Panik, noch glaubte er an Wunder. Es war sein Fehler, er konnte niemand sonst einen Vorwurf machen. Er hatte seine Kräfte nicht geschont, er hatte zu schwer gearbeitet, und irgend etwas dieser Art mußte einfach passieren. Wenn nicht dies, dann zu hoher Blutdruck, oder, was noch schlimmer war, ein Herzanfall. Er konnte sogar noch von Glück reden. Eine Sinnestäuschung ist kein Wahnsinn, nur, sagen wir, eine Neurose. Und die ist einfacher zu heilen als Bluthochdruck und tut außerdem nicht weh, anders als Zahnschmerzen. Nur schade, daß er kein Psychiater war – wie hier Material für eine Selbstbeobachtung verschwendet wurde! Nun, er würde sein Möglichstes tun. Das war schließlich seine wissenschaftliche Pflicht.

»Sie glauben mir also nicht«, sagte die Stimme von oben.

»Glaube ist keine wissenschaftliche Kategorie. Und ich bin Wissenschaftler. Und daher weiß ich, daß Sie eine unechte Frucht meines überarbeiteten Verstandes sind. O weh!«

»Aber ich existiere!« rief der Fliegende mitleidheischend. »Ich habe Kinder!«

»Ich sage nicht, daß Sie nicht existieren. Sie existieren auf die falsche Art!«

»Aber ich fliege doch!«

»Eben. Aber ein Mensch kann von allein nicht fliegen. Es würde sich dann um ein Wunder handeln. Leute, die wenig in der Physik verwurzelt sind, neigen dazu, alles zu glauben, doch wir wissen, daß ein Wunder in der Natur keinen Platz hat.«

»Ich habe irgend etwas über diesen ... Antischwerkraftskram gelesen.«

»Die Gefahr von populären Veröffentlichungen liegt darin, daß sie Halbwahrheiten verbreiten und zur Sensationsmache neigen«, sagte der Professor scharf. »Antischwerkraft in dieser Form widerlegt ... Sie können sich nicht einmal vorstellen, was sie widerlegt.«

»Kann ich auch nicht«, gab der Mann zu. »Ich fliege einfach so umher.«

»Eben! Eine jede Offenbarung des Ungewöhnlichen hat eine strenge wissenschaftliche Erklärung. Ihr Fall ist deshalb äußerst simpel. Selbst wenn die Antischwerkraft nicht allem widerspräche, wo ist die Energiequelle, die Sie oben hält? In Ihnen selbst? – Lächerlich!«

»Vielleicht hängt es mit etwas zusammen, das ich zu Mittag gegessen oder getrunken habe? Das ist doch jetzt alles Chemie – es wäre durchaus möglich.«

Der Professor öffnete den Mund, um ihm zu widersprechen, und da durchfuhr ihn ein einfacher und unschöner Gedanke: er plauderte mit sich selbst!

Das war kein Mensch dort, es war eine Sinnestäuschung! Und er unterhielt sich mit ihr!

Artsinowitsch sah den Fliegenden feindselig an. Der Mann tanzte auf und ab wie ein Luftballon. Und er bewegte in einem fort seine Arme, als versuchte er wegzutauchen. Seine Beine schlugen wie wild in der Luft, am rechten Fuß fehlte ein Schuh, und durch ein Loch im Strumpf lugte ein Zeh hervor.

»Ich kann nicht herunter«, sagte er, und sein Tonfall klang gequält. »Vor einer halben Stunde stieg ich plötzlich auf, und seitdem bin ich hier oben. Es zieht mich ständig in die Höhe. Mein Schuh ist heruntergefallen. Würden Sie mir bitte behilflich sein? Werfen Sie irgend etwas nach mir aus und ziehen Sie mich dort zu der Kiefer hinüber.«

Der Professor schloß die Augen. Der Forscher muß Forscher bleiben, jawohl! Aber sage man, was man wolle – er war ein Spezialist von ganz anderem Zuschnitt. »Ich zähle bis hundert, und dann schaue ich hin«, erklärte er. »Bis dahin muß mit dem Objekt eine Veränderung vorgegangen sein.«

»Dann ist mein Schicksal also besiegelt«, seufzte die Stimme über ihm. »Sagen Sie wenigstens meiner Familie Bescheid ... meiner Frau ... in Laye Vyselke ...«

Die Stimme entschwand.

Der Wind traf den Professor ins Gesicht. »Neunundsiebzig, achtzig, einundachtzig ...«

Bei einhundert öffnete er die Augen. Mit dem Objekt war in der Tat eine Veränderung vorgegangen. Es war verschwunden. Ganz oben am Himmel befand sich ein kleiner Fleck, ein Vogel oder so etwas.

Dann verschwand er. Der weite Himmel war leer.

An jenem Abend begab der Professor sich ins Krankenhaus. Mit dem Gesichtsausdruck eines Mannes, der alles im voraus weiß, hörte der Psychiater ihn an, untersuchte ihn, prüfte seine Reflexe und murmelte: »Ihr Physiker, ihr müßt doch immer etwas Besonderes sein.« Sein Befund lautete, daß der Professor mit den Nerven am Ende sei, daß aber keine allzugroße Gefahr bestünde.

Der Professor nahm seine Medikamente ein und lebte einen Monat lang Diät. Es haben ihn keine weiteren Sinnestäuschungen heimgesucht.

IRRTUM AUSGESCHLOSSEN

Der Blick durchs Fenster ging hinaus in die Endlosigkeit des Himmels, wo sich langsam und dicht Wolken zusammenballten und den Saal mit mildem, schneehellem Licht erfüllten – einem vagen Spiegelbild der weißblauen Ferne. Jede Minute sah neue Wolkenstädte, unscharf und vergänglich wie Phantasiegebilde.

»Der Nächste«, rief Dr. Reschetow.

Geräuschlos öffneten Photosensoren die Tür, und in der schwarzen Öffnung erschien ein junger Mann, fast noch ein Junge, mit vor Angst blassem Gesicht.

»Nehmen Sie Platz!« wies der Arzt ihn an.

Der junge Mann setzte sich in den thronähnlichen Stuhl, von dessen Seiten silberne Schnüre und Stecker herabhingen.

»Also, was wollen Sie werden?«

Die Antwort war ein Flattern der Augenwimpern, dichter, dunkler Wimpern, ein scheuer Blick aus blauen Augen, ein rührendes Erröten von Wangen, die noch flaumig und frisch waren. Die schlanken Finger des jungen Mannes zupften an seinem Ärmel.

»Dichter.«

»Wunderbar«, erwiderte Reschetow ein wenig zu herzlich. »Ihr Name?«

»Serjoscha, Serjoscha Jugow. Sergei Alexandrowitsch Jugow«, verbesserte er.

»Beinahe wie Alexander Sergejewitsch Puschkin«, witzelte der Arzt schwach. Sein Blick traf den des jungen Mannes, und er verstummte. »Die Karte, bitte«, sagte er zu seinem Assistenten.

Der Assistent trat an die hohe Mosaikwand, setzte sich in der Ecke ans Steuerpult und wählte eine Ziffernfolge. Die Relais klickten, und dann schien ein Seufzen durch die Wand zu gehen: ein schmaler Schlitz öffnete sich, und in die Hand des Assistenten flog eine steife, gelbe Karte aus Kunststoff, bedeckt mit Zeichen, die Jugows genetischen Code darstellten, den man in den ersten Lebenstagen abgenommen hatte.

Die Augen des jungen Mannes wurden angsterfüllt und verdüsterten sich, so wie sich, wenn eine Gewitterwolke den Himmel verdeckt, die Mitte eines Sees verdüstert, der scheu in eine Lichtung gebettet daliegt. Reschetow hätte dem Jungen auf die Schulter klopfen mögen; er mochte ihn.

Aber der Arzt zügelte seinen Impuls. Er hob die Karte auf und führte sie näher an seine Augen. Normalerweise spürte er den Blick der Jungen und Mädchen, die da im Stuhl saßen, nicht – er war daran gewöhnt. Nicht so diesmal. Irgend etwas hatte von dem, was er tat, den Schleier der Routine gelüftet.

Der Assistent im weißen Kittel – eine zuvorkommende und sehr weltliche Version von Schicksal – legte Jugow eilig Elektroden an Schläfe, Hals und Kehle. Der Junge erschauderte, vielleicht wegen der Kälte des Metalls, vielleicht vor Angst.

Irgendwo tief in der Wand ertönte ein Summen. Das elektronische Gedärm des Rechners verdaute die Information, die entlang der Drähte den tiefsten Tiefen des menschlichen Ichs entflossen. In sich selbst versunken starrte der junge Mann trotzig auf die Wand. Dann wandte er den Blick ab.

Reschetow kehrte ihm den Rücken zu und trommelte mit den Fingern auf die Fensterbank. Er war sich sicher, daß der junge Mann seinen Hinterkopf anstarrte.

Eine Kontrollampe leuchtete auf, und der Zyklop hinter der Wand blinzelte mit seinem roten Auge: eine melodische Folge von Glockentönen erklang. Ohne sich umzusehen, streckte Reschetow die Hand aus, und die kalte Kunststofftafel fiel hinein. Er hob sie hoch und verglich sie mit der alten Karte.

In Ihrem Alter will jeder dritte Dichter werden, dachte er. Jeder dritte. Aber normalerweise finden sie sich mit einer Ablehnung schnell ab.

Der Gedanke besänftigte ihn nicht. Der Arzt fühlte sich

plötzlich müde. Nein, er hatte nur geglaubt, daß er sich daran gewöhnt hätte. Die Verantwortung war allzu groß; er konnte nicht umhin, sich Sorgen um die Auswirkungen zu machen. Tausende von Malen mit anderen zu leiden – das war schwer.

Er wollte den Augenblick hinauszögern, wußte aber, daß das nicht ging, daß es nichts Schlimmeres gab als Ungewißheit.

»Da haben wir es, mein Freund«, sagte er schließlich. »Ein Dichter wird leider nie aus Ihnen werden.«

Er sah den jungen Mann gespannt an.

»Hier ist Ihre Karte. Nehmen Sie sie an sich! Ihre Fähigkeiten sind rot darauf markiert.«

Er legte die kalte, glänzende Karte in seinen Schoß. Das verschnörkelte Muster stach ihm – in Rot und Schwarz – ins Auge. Sein genetischer Code. Wie ein Leuchtraketensignal aus der Zukunft.

Nichts in Sergei Jugows Gesicht änderte sich. Doch es alterte. Na also, dachte der Arzt erleichtert und, auf unerklärliche Art, voller Enttäuschung. Die Operation ist vorbei. Und jetzt wird er, wie so viele vor ihm, die Karte in die Tasche stecken. Beiläufig, gönnerhaft, blickt er auf die Überreste von Jugendträumen. Und er wird als Erwachsener aus dem Stuhl aufstehen. Ob in all dem mehr Positives oder Negatives liegt, weiß ich nicht.

Der Arzt war dieser Frage lange aus dem Weg gegangen, doch sie erhob sich immer wieder. Weshalb? War es nicht ganz offensichtlich, daß Gewißheit besser als Ungewißheit war, daß Wissen besser war als Ahnungslosigkeit und die Wahrheit besser als Selbsttäuschung? Es war offensichtlich. Als er sich auf diesen Versuch einließ, hatten dessen edle Zielsetzung ihn beflügelt; wie ein Ritter des Guten war er sich vorgekommen, dem eine segensreiche Wissenschaft eine Lanze verlieh. Woher also stammten jetzt diese Zweifel?

Der Arzt runzelte die Stirn. Gesichter. Er war nicht imstande, sie aus seinem Gedächtnis zu verbannen. Tausende von Gesichtern der Leute, die sich in diesen Stuhl setzten, um die heilende Kraft der Lanzenspitze auszuprobieren. Sehr verschiedene Gesichter. Und nach dem traditionellen Satz: »Ihre Berufung liegt ...« ähnelten sie einander alle irgendwie. Einige darunter vergossen sogar Tränen: »Nein, nein, sagen Sie, daß Sie einen Fehler gemacht haben!« Andere nahmen die Empfehlung gelassen auf. Wieder andere sagten ein höfliches Dankeschön und gingen pfeifend von dannen. Aber nahezu alle stimmten früher oder später zu. Vielleicht stimmten sie zu leicht zu. Vielleicht wünschten sich viele darunter insgeheim, sich von der Last der Verantwortung für ihr eigenes Schicksal zu befreien? Eine bessere Gelegenheit dazu ließ sich schwer denken. Und sie gingen leichten Herzens davon, in den Beruf, den die Wissenschaft ihnen gewiesen hatte. Einen Beruf, der ihnen im Leben den optimalen Erfolg und der Gesellschaft den optimalen Nutzen versprach. Völlige Harmonie. Kein Grund, sich auf die Suche nach sich selbst zu begeben. Und der Preis war niedrig: die Illusionen (oder vielleicht Träume) der Kindheit.

Jugow sah in diesem Augenblick weder den Arzt noch das Zimmer. Er wandelte inmitten von Klängen, die ihn riefen, inmitten einer stillen, von Sonnenstrahlen beschienenen Birkenkapelle, inmitten von Melodien, die von den Bäumen geflochten wurden und darum baten, freigelassen zu werden, wie ein Lied, wenn einem nach Singen zumute ist. Wolken segelten über ihn hinweg, seltsame, die das Auge verlockten, ihnen in die Ferne, die Unendlichkeit zu folgen. Doch das Grollen der Raupenschlepper war ganz nahe, bereit, all dies zu zermalmen. Die Horizonte seiner Zukunft hatten sich verengt, man hatte Schienen gelegt, schwarz wie die Zeilen auf der genetischen Karte, und diese Schienen führten geradewegs an den Klängen, den Melodien und Quartetten vorbei.

»Nein, nein«, schrie er und sprang aus dem Stuhl hoch. »Sie haben sich geirrt! Sie haben einen Fehler gemacht!«

Er zitterte, und das Blau seiner Augen wurde stumpf. Der Assistent lief hinüber zum Wasserkühler.

Reschetow blickte überrascht auf. Nicht der Worte wegen –

er hatte irgend etwas dieser Art erwartet –, sondern der Art wegen, in der sie gesprochen wurden. Solch unverhüllter Schmerz lag darin.

»Beruhige dich, mein Sohn!« Reschetow faßte ihn sanft am Ellbogen. »Sie haben eine fabelhafte Begabung, eine reichhaltige, großartige. Aber nicht für die Dichtung, nicht zum Künstler. Werfen Sie einen Blick auf das fabelhafte Spektrum von Berufen, das Ihrer harrt!«

Er unterstrich mit dem Daumennagel die roten Markierungen auf der Karte. Der junge Mann sah gehorsam hin. Ja, das waren fabelhafte Fähigkeiten, wundervolle Berufe, gar kein Zweifel.

»Ich will sie aber nicht!« Die Worte platzten nur so heraus. »Ich will meinen eigenen!«

Reschetows Gesicht blickte streng.

»Sie sind freiwillig hierhergekommen. Um über sich die Wahrheit herauszufinden, oder ist dem nicht so?«

»Ja, ich glaube an die Wissenschaft! Aber ich glaube auch an mich selbst!«

»Ich glaube ebenfalls an die Wissenschaft, mein Sohn. Und deshalb rate ich davon ab, ihre Empfehlungen zu mißachten. Natürlich zwingt Sie niemand. Aber bedenken Sie: die Freiheit ist die Einsicht in die Notwendigkeit. Und so helfen wir Ihnen und den anderen – wenn das Experiment funktioniert, so helfen wir jedem, sich und seinen Platz in der Welt zu finden. Leider ist niemand zu allem begabt – das sieht die Natur nicht vor. Aber jeder Mensch – ich wiederhole: *jeder!* – hat auf irgendeinem Gebiet zwei oder drei überdurchschnittliche Fähigkeiten. Jeder ist begabt auf seine Art, verstanden?«

»Warum erzählen Sie mir das alles?«

»Weil all das seit langem bekannt ist. Aber es bestand keine Möglichkeit herauszufinden, welche Begabung ein einzelner nun besaß. Und blind suchte die Jugend nach ihrer Berufung. Lehrer waren hilfreich, aber auch sie arbeiteten mit verbundenen Augen. Sogar unter günstigsten Bedingungen fand manch einer zu sich selbst und mancher eben nicht. Und aus dem würde ein Versager. Er wäre unglücklich und wüßte nicht, warum. Ein glücklicher Mensch hegt keinen Zorn, aber aus diesen Leuten wurden oft Zyniker, Trunkenbolde und Herumtreiber, die wiederum andere unglücklich machten. Was wir hier tun, ist mit Leid abgegolten. Wenn dies Experiment gelingt, wird jeder, ob Mann oder Frau, sobald er reif ist, wissen, was er zu tun hat. Es ist ihnen eine Versicherung gegen das Leid der Vergangenheit – ist das nicht fabelhaft? Sie nehmen teil an einem großartigen Experiment, das das Glück der Menschen ungemein fördern sollte, also behandeln Sie es bitte mit dem gebührenden Verantwortungsbewußtsein.«

»Ich weiß«, betonte der junge Mann. »Ich weiß, deshalb kam ich ja hierher.«

Seine Augen waren jetzt trocken. Er stand mit dem Gesicht zum Fenster, und in seinen Augen trieben winzige Wolkenspiegelungen, seltsam wie Phantasiegebilde, hell wie Flammen. Der Blick des jungen Mannes umschlang den Himmel in der Unendlichkeit seiner Weite und seiner Entfernungen.

»Ja«, sagte Reschetow müde. Seine besänftigende Berufspsychologenstimme klang hohl. »Ja, aus Ihnen kann ein Dichter werden. Zum Preise von unglaublicher Mühsal und Selbstdisziplin kann aus Ihnen ein mittelmäßiger Dichter werden. Ein guter werden Sie nie! Zumindest solange nicht, bis wir wissen, wie die Erbanlagen sich den Träumen und Launen des Einzelnen entsprechend neu ordnen lassen. Aber das wird noch eine ganze Zeit in Anspruch nehmen.«

Der junge Mann nahm seine Karte vom Tisch auf. Er wendete sie in seiner Hand, knüllte sie zusammen und warf sie aus dem Fenster. Trotzig kehrte die Karte zu ihrer glatten, flachen Form zurück, und ein Windstoß erfaßte sie und trug sie in das leuchtende Blau davon.

»Aus mir wird ein guter Dichter!« rief er, während er zur Tür stürzte.

»Ein Exemplar halten wir hier für Sie bereit!« rief Reschetow ihm nach.

Und Stille erfüllte den Raum, die blauweiße Stille des Himmels.

»Manchmal denke ich, das hier ist zu grausam – die Jugend um die Gewißheit zu bringen, daß sie zu allem imstande ist«, sagte der Assistent, ohne Reschetow anzublicken.

»Jede Operation verursacht Schmerz«, erwiderte der Arzt und ging gedankenverloren im Zimmer auf und ab. »Aber er ist kurzlebig, dieser Schmerz. Und er befreit: er schützt vor schlimmerem Schmerz in der Zukunft – aus Desillusionierung, aus Selbstzweifel. Nein, wir handeln menschlich, sehr menschlich.«

»Aber einige von ihnen hätten es trotzdem gerne. Sie hoffen immer noch, daß wir uns geirrt haben.«

»Ein Irrtum ist ausgeschlossen, ausgeschlossen«, wiederholte der Arzt mehrmals.

Aber er dachte an etwas anderes. Nicht an Jugow. Er dachte an diejenigen, die ihm so vollkommen vertrauten, daß sie sich nicht länger mit Zweifeln plagten und ihren Beruf so einfach in Geschenkpapier annahmen und pfeifend von dannen gingen, sicheren Schritts, als gingen sie auf einem roten Teppich in eine vorherbestimmte Zukunft. Die Strecke war abgesteckt, und der Mensch, der vielleicht Liebe nie zuvor verspürt hatte, verheiratete sich mit einem Beruf. Und dennoch ist Begabung nicht alles, dachte er. Oh, ganz und gar nicht – es genügt nicht, sie zu finden, sie will auch gepflegt sein. Geben wir ihnen, zusammen mit ihren Karten, die Illusion von Mühelosigkeit? Die Illusion, daß sie sich niemals je werden anstrengen müssen, da die Last der Verantwortung für ihre eigene Zukunft ja von anderen übernommen wird?

»Also schön, das Experiment ist nur ein Anfang. Das Ergebnis wird die Zukunft zeigen«, sagte der Arzt und flüchtete sich so in eine Redensart, in der seit Anbeginn der Zeit die Zweifler Trost gesucht haben.

»Der Nächste!« rief er.

DIE ZEITBANK

Am Abend vor der Eröffnung der Zeitbank versammelten wir uns in der Geborgenheit des Familienkreises. Sprecher und Orakel war in jener Nacht mein Bruder Ljova, ein Physiker.

»Der morgige Tag wird in die Geschichte eingehen«, erläuterte er, wobei sein linkes Auge zuckte. Jedesmal, wenn er in Erregung gerät, macht das nervöse Leiden sich bemerkbar.

»Aber ich mache mir immer noch Sorgen«, sagte meine Frau. Sie strickte, und ständig fielen ihr Maschen herunter. »Ich mag Dinge nicht, die ich nicht verstehe.«

»Was?« bat Ljova. »Was gibt es da nicht zu verstehen? Das ist doch ganz einfach. Ich erkläre es euch.«

Wenn Sie jemals einem Physiker zugehört haben, wie er gewöhnlichen Sterblichen die Bedeutung der Quantenmechanik oder der Relativitätstheorie zu erläutern versuchte, werden Sie begreifen, wie es uns ging. Irgendwelche Zeitwellen, die sich überlagerten und damit ein Aufwallen der Zeit erzeugten, welches von seiner Trägerschicht weg und in die Suprazeit strebte und steuerbar wurde – das ist alles, was ich Ljovas Vorträgen und den populärwissenschaftlichen Artikeln meiner Journalistenkollegen entnehmen konnte. Aber ich ließ mich davon nicht langfristig aus der Ruhe bringen. Wir gehen mit der Elektrizität um, ohne das Geringste von Elektrodynamik zu kennen, und mir ist bis jetzt niemand bekannt, den das vom Weiterleben abgeschreckt hätte. Die Vorschriften, die den Gebrauch der Zeitbank regelten, waren jedem klar. In jedem beliebigen Augenblick, wann immer das Bedürfnis einen überkommt, kann man nach Wahl ein Stück Zeit herausgreifen und es sich als Einlage gutschreiben lassen. Und wenn man dann in die Suprazeit möchte, läßt sich darauf zurückgreifen.

»Ihr könnt euch ja nicht vorstellen, wie wundervoll das ist!« fuhr Ljova hingerissen fort und hätte dabei fast sein Glas umgeworfen. »Denkt einmal nach, wieviel Zeit wir mit Schlangestehen, mit Warten in Restaurants und bei langweiligen Vorträgen vertun. Stunden und Tage werden so aus unserem Leben gestrichen!« In seinen Augen erschien Verzweiflung. »Doch das ist jetzt vorbei. Jetzt werden sie bei der Bank hinterlegt – für die Zukunft. Nehmt beispielsweise an, ihr schriebet oder führtet einen Versuch durch. Ihr seid schöpferisch, ihr seid froh. Doch unerbittlich verkünden die Zeiger der Uhr, daß es aufzuhören gilt und wichtige Verpflichtungen euch erwarten. Eine Tragödie! Aber von morgen an wird das anders. Ihr hebt einfach die Stunden ab, die ihr eingezahlt habt, und verlegt euer weiteres Schaffen in die Suprazeit.«

»Vielleicht sollten wir es lieber beim Alten belassen?«

Ich warf meiner Frau einen vorwurfsvollen Blick zu. Man soll den Fortschritt bewundern, vor allem, wenn es um diese Art geht.

»Unmöglich!« verkündete Ljova fröhlich. »Es gibt keine einzige Errungenschaft der Wissenschaft, die nicht früher oder später Bestandteil unseres Lebens geworden wäre. Keine einzige! Daß ein neues Zeitalter heranbricht, läßt sich nicht vermeiden.«

Die Uhr schlug Mitternacht. Ljova erhob den Zeigefinger. Ich erhob mich, ohne darüber nachzudenken. Die Zeitbank hatte ihren Betrieb aufgenommen.

In die feierliche Stille hinein prosteten wir uns zu. Die Hand meiner Frau zitterte. Beim letzten Stundenschlag streckte unsere Katze, die auf dem Sofa schlief, sich lang aus und gähnte voller Wohlbehagen. Armes Tier! Sie hatte uralte Träume und von dem großartigen Ereignis, das sich soeben zugetragen hatte, keine Ahnung.

Der nächste Morgen war denkbar normal – grau und neblig. Ich beeilte mich, einen Blick aus dem Fenster zu tun. Dort war alles wie immer: Leute eilten daher, Autos rasten vorüber. Ich schlang mein Frühstück hinunter und lief auf die Straße, gefolgt von den angsterfüllten Blicken meiner Frau.

Der Bus war nicht sehr voll, und ich setzte mich an einen Platz, der für Beobachtungen günstig war. Aber es schien nicht so, als gäbe es da etwas zu beobachten. Ich fuhr fünf oder zehn Minuten, und weder in dem Bus noch außerhalb tat sich etwas. Betrübt machte ich es mir in dem Sitz bequem und nahm meine Zeitung heraus. Doch kaum hatte ich sie entfaltet, als auch schon irgend etwas das Papier und meine Arme beiseite schob und dann plötzlich ein mir unbekannter Greis auf meinem Schoß saß!

»Entschuldigung«, sagte er. »Es sieht so aus, als säßen Sie auf meinem Platz.«

»Äh . . .?« murmelte ich.

»Brauchen Sie etwas zur Beruhigung?« Der Alte war besorgt. Er stieg aus meinem Schoß. »Man hätte Ihnen sagen sollen, daß ich eine Zeitlang oben war.«

»Sie haben davon . . . Gebrauch gemacht?«

»Selbstverständlich. In meinem Alter muß man Zeit sparen, wissen Sie? Lassen Sie nur, bleiben Sie, wo Sie sind. Ich nehme den Platz hier neben Ihnen.«

Eine ganze Busladung Fahrgäste starrte uns an. Zum Glück hatten wir meine Haltestelle erreicht.

Ich kam gerade noch rechtzeitig zur Redaktionssitzung ins Büro und hatte keine Zeit für einen Meinungsaustausch mit Freunden. Mit unseren Redaktionssitzungen ist das seltsam. Es scheint, als brauchte man bloß dazusitzen und zuzuhören, und doch ermüdet man dabei, als hätte man einen Leitartikel verfaßt. Es ging ja noch, solange Lerowski und Perow redeten; zwar brauchten sie ihre Zeit, doch es kam etwas dabei heraus – natürlich über die Art der Berichterstattung, was die Zeitbank anging. Doch dann ergriff Kloponeschetski das Wort. Wir warfen einander säuerliche Blicke zu. Und ich hatte einen glänzenden Einfall. Schließlich waren wir hier zu vielen, und einer, der fehlte, würde vielleicht nicht auffallen. »Gutschrift von einer halben Stunde!« befahl ich im Geiste, und mein Wagemut ließ mich erbeben.

Es war ein Gefühl, als hätte ich nur kurz geblinzelt. Aber sobald ich mich im Raum umsah, wußte ich, daß ich mich in

Schwierigkeiten befand. Wir alle waren in Schwierigkeiten. Der Chefredakteur und Kloponeschetski standen Seite an Seite, und ihre Gesichter leuchteten wie eine Verkehrsampel: der Chefredakteur war rot, und Klopneschetski war grün. Schweigend starrten sie die leeren Stuhlreihen an.

»Was, zum Teufel!«

Sie hätten ihre Wut ganz allein an mir ausgelassen, wenn meine Kollegen da nicht nach und nach im Zimmer erschienen wären. Es gibt offenbar doch Telepathie, denn uns alle hatte, sobald Kloponeschetski zu sprechen begann, dasselbe Bedürfnis erfaßt, und wir alle hatten gleichzeitig unsere Einlage vorgenommen.

Ich will die Standpauke, die sich anschloß, nicht beschreiben. Es rettete uns nur die Tatsache, daß wir über den ersten Tag des Sieges über die Zeit Berichte für die Ausgabe brauchten, und zum Materialsammeln war das Büro nicht der rechte Ort. So schnell, daß mir die Schuhe rauchten, lief ich hinaus auf die Straße.

Und ich erblickte einen großgewachsenen, majestätischen, silbergelockten Bürger, der wie ein Standbild seiner selbst wirkte, weinend an einen Laternenpfahl gelehnt.

»Verzeihung, kann ich Ihnen helfen?« sagte ich und berührte ihn an der Schulter.

Er hörte auf zu weinen, doch seine Stimme war noch immer unstet. »Diese kleinen Nichtsnutze ... diese kleinen Nichtsnutze ... diese kleinen Nichtsnutze ...«

Sekunden später hatte ich die Erklärung. Er war Lehrer. Und nicht irgendein alter Pauker. Ein Lehrmeister, wenn sich solche Ausdrücke auf die Pädagogik anwenden lassen. Und die ganze Klasse hatte sich aus seinem Unterricht entfernt – aus *seinem* Unterricht!

»Die Kinder werden schon wiederkommen«, sagte ich, um ihn zu trösten.

Doch er war zu stolz und zu eigensinnig, um sich trösten zu lassen. Er begab sich geradewegs aufs Polizeirevier. Von hinten wirkte er noch mehr wie ein Standbild seiner selbst.

Ich kritzelte eine Notiz auf meinen Block: *Lehrmeister. Kin-*

der. Negative Aspekte der Zeitbank. Und begab mich auf die Suche nach weiteren Eindrücken.

Es herrschte ihrer kein Mangel. Als ich um die Ecke bog, stand ich Auge in Auge mit einer schwergewichtigen Matrone, die in der Luft herumtastete und in jede nur mögliche Richtung blickte.

»Haben Sie ihn gesehen?« rief sie.

»Wen?«

»Meinen Mann!«

»Was ist mit ihm?«

»Wir gingen Arm in Arm!«

»Aber ich . . .«

Auf ihrem Gesicht erschien ein niederträchtiger Ausdruck.

»Aha! Er hat sich rechtzeitig davongemacht! Läßt mich hier zurück! Also gut, warte nur!« Sie schüttelte ihre Faust ins Leere und verfluchte ihn zutiefst. »Ich erwische dich schon noch!«

Und sie verschwand vor meinen Augen.

Bevor ich Zeit hatte, zu Atem zu kommen, verspürte ich auf meinem Rücken einen festen Schlag.

»Entschuldigung«, sagte ein flinkes kleines Männchen, während es aus dem Nichts auftauchte. »Haben Sie hier irgendwo meine Gattin gesehen?«

»So eine?« Mit den Händen beschrieb ich die Form eines Ballons. »Sie hat davon Gebrauch gemacht. Sie ist hinter Ihnen her.«

»Aha!« Der Kleine lächelte. »Ich habe also richtig gedacht.«

Er blinzelte und verschwand in einem nahegelegenen Geschäft. Ich nahm mein Notizbuch heraus, aber ich war nicht sicher, ob dies in die positive oder die negative Spalte mußte.

Ich ging in das nächste Imbißlokal, denn ich hatte Hunger. Die Tische waren kaum besetzt, und ich hatte einen Anflug von Hoffnung auf eine schnelle Mahlzeit. Doch die Schnelligkeit, mit der man bedient wird, hat bekanntlich nichts mit den Wünschen des Kunden zu tun. Fünfzehn Minuten vergingen, nachdem man meine Bestellung entgegengenommen hatte, und noch immer hatte ich nicht einmal die Suppe und begann mich zu langweilen. Dann aber hatte ich einen genialen Einfall. Ich hatte von Kloponeschetskis Rede noch eine halbe Stunde gut. Ich würde sie dazu benutzen, meinen Artikel zu entwerfen, und in der Zwischenzeit käme meine Suppe. In meinem Herzen dankte ich der Zeitbank und gab den Befehl.

Mit meiner Arbeit ging es gut voran. Jede lebendige Seele verschwand aus meinem Gesichtskreis, da ich mich außerhalb des echten Zeitverlaufs befand. Niemand unterbrach mich, und die Worte flossen nur so aus meiner Feder. Es war ein großartiges Arbeiten in aller Ruhe.

Meine halbe Stunde war abgelaufen, und ich tauchte wieder in der Wirklichkeit auf, völlig sicher, daß ich darin einen Teller Suppe vorfinden würde.

Aber da war kein Teller. Es war überhaupt niemand da.

In panischer Furcht lief ich überall umher, bis ich auf den Geschäftsführer stieß, der vor Angst halbtot war. Es schien, als wäre ich nicht der einzige Schlaumeier gewesen. Nach und nach waren – indem sie sich der gleichen Technik bedienten wie ich – die ganzen Gäste verschwunden, und dann waren die ganzen Bedienungen, die sich ein wenig Zeit sparen wollten, nachgezogen – es war ja niemand mehr zu bedienen da!

Und da wurde im Radio bekanntgegeben, es sei strengstens verboten, während der Arbeitszeit von der Zeitbank Gebrauch zu machen . . .

Wütend und hungrig eilte ich nach Hause. Aber ein Mittagessen bekam ich doch nicht, denn Ljova lauerte an jenem Tag auf mich auf dem Treppenabsatz. Er war weiß wie die Wand, und er spie Rauch durch die Nase.

»Ich bin bestohlen worden!«

»Wa . . .?«

»Ich bin bestohlen worden! Ich habe zu Hause gesessen und gearbeitet, und der Einbrecher hat, indem er sich in der Suprazeit bewegte, die Wohnung betreten und . . .«

Bis zum Abend hatte man die Zeitbank dann vorübergehend geschlossen. Es wurde angekündigt, man arbeite an neuen Bedienungsvorschriften. Daran arbeiten sie bis zum heutigen Tag. Den Dieb hat man gefaßt, doch Ljova ist noch immer wütend, wenn auch aus einem anderen Grund.

»Sie wollen, daß ich die Zeitbank für jedermann bequem gestalte«, klagte er. »Aber ein physikalisches Phänomen ist kein Stuhl – es kann sich nicht einer jeden Form von verlängertem Rücken anpassen, der sich gerade hineinsetzt!«

Ob er recht hat oder nicht, weiß ich nicht, aber seit vielen Jahren leben wir nun wieder auf die alte Art.

HEYNE
SCIENCE FICTION
MAGAZIN

9

Herausgeber
WOLFGANG JESCHKE

bringt unter anderem:

Winston S. Churchill:
Wenn Lee die Schlacht von Gettysburg
nicht gewonnen hätte

Anthony Burgess:
1984 von George Orwell
Wiedersehen mit 1948

Joseph Kiermeier-Debre:
E. T. – die perfekte Blasphemie?

Susanne Päch:
Filmtrick 2000 – Star Wars,
Tron – und dann?

Herbert W. Franke:
»Babel 333...«
Ein experimentelles Stück der Groupe 33

Helga Abret und Lucian Boia:
Die häßlichen Nachbarn.
Französische Marsabenteuerromane
vor dem Ersten Weltkrieg

Peter Gaschler:
Neue SF-Filme 1983